P9-ELO-620

РОМАН-КИНО

БОРИС АКУНИН

# Смерть на брудершафт

роман-кино

## СТРАННЫЙ ЧЕЛОВЕК

Фильма пятая

## ГРОМ ПОБЕДЫ, РАЗДАВАЙСЯ!

Фильма шестая

МОСКВА

УДК 821.161.1
ББК 84(2Рос=Рус)6
А 44

Подписано в печать 31.08.2009 г. Формат 76×108 1/32.
Усл. печ. л. 21,0. Тираж 350 000 экз. (1-ый завод 1-100 000 экз.) Заказ №5789

Общероссийский классификатор продукции
ОК-005-93, том 2; 953000 — книги, брошюры

Санитарно-эпидемиологическое заключение
№ 77.99.60.953.Д.009937.09.08 от 15.09.2008 г.

*Автор выражает благодарность Михаилу Черейскому за помощь в работе*

*Художник Игорь Сакуров*

*Оформление и компьютерный дизайн — Сергей Власов*

**Акунин Б.**

**А 44** Смерть на брудершафт: [роман-кино] / Борис Акунин. — М.: АСТ: АСТ МОСКВА, 2009. — 441, [7] с.

Содерж.: Странный человек: фильма пятая. Гром победы, раздавайся!: фильма шестая.

ISBN 978-5-17-061421-9 (ООО «Изд-во АСТ»)
ISBN 978-5-403-02043-5 (ООО «Изд-во АСТ МОСКВА»)

«Смерть на брудершафт» — название цикла из 10 повестей в экспериментальном жанре «роман-кино», призванном совместить литературный текст с визуальностью кинематографа.

Повесть «Странный человек» (пятая «фильма») описывает хитроумную операцию, которую германская разведка проводит в высших кругах петербургского общества. А в «фильме» шестой русский контрразведчик Алексей Романов получает задание, от которого зависит исход гигантского сражения...

**УДК 821.161.1**
**ББК 84(2Рос=Рус)6**

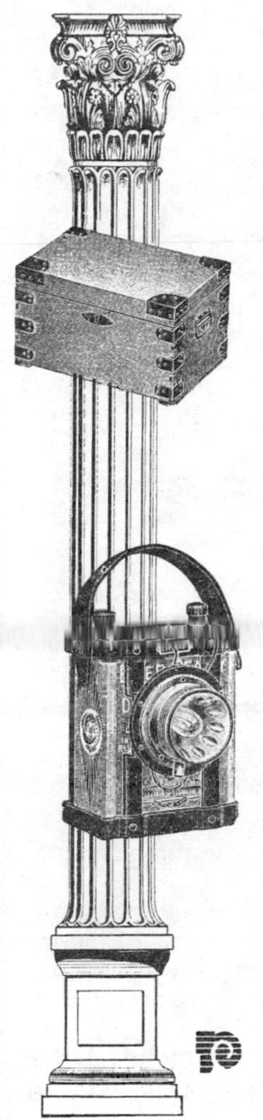

# Фильма пятая

# СТРАННЫЙ

# ЧЕЛОВѢКЪ

## Мистическое

ОПЕРАТОРЪ

**ИГОРЬ САКУРОВЪ**

**Тапёръ г-нъ Акунинъ**

НОВИНКА:
Демонстрацiя сопровождается
пѣснями в народномъ стиле
собственнаго его сочиненiя

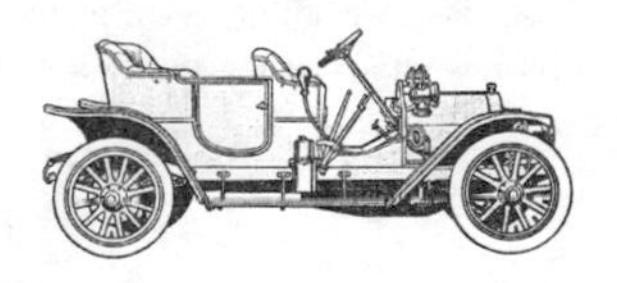

Сверху, будто через густое облако, видно реку. Не особенно большую, а примерно как Тобол выше Тобольска. И вроде ледоход по ней, самый конец, когда ледяные глыбы уже не горбатятся, а поистерлись, потаяли, посерели от воды. Тесно реке, распирает ее лед, продохнуть не дает.

И ух вниз, с горней высоты, ажно печенка в горло. Туман жиже, прозрачнее, и теперь можно разглядеть: не река это, а улица. Невский проспект. Дома пообонь, будто высокие берега. И льдины не льдины, а мертвяки – люди в шинелях, гнедые лошади с раздутыми брюхами. И всё это серое, неживое движется меж каменных теснин, в сторону аммиралтейской иглы, дворца зимнего. Медленно, неотвратимо, и конца потоку не видать.

Страшно.

Хорошо, догадался молитву, хоть и во сне. Только произнес «Спаси, Господи, люди Твоя», и страшная блазна, ползущие вшами непокойники, сгинула. Проспект, однако, остался.

Теперь по нему шли живые, тьма тьменная. Радостные все, руками машут, кричат что-то, трубы у них трубят, песню слышно – как бы радостную, но в то же время и грозную. Словно крестный ход в престольный праздник. Но несут не кресты – хоругви кровавые, а вместо икон с Ликом Божьим тащут портреты, на них усатый кто-то, довольный, глаза щурит.

Первое виденье было хоть страшное, но понятное – где война, там и мертвецы. Второе сонному разуму не в охват. Кому поклоняются? Чему рады?

Но и тут пригодилось моление.

«...и благослови достояние Твое, победы на сопротивныя даруя» – пропал и черт усатый.

Всё пропало кроме Невского. Ни души на нем. Пусто, бело, морозно. Только сбоку по мостовой баба, замотанная в платок, тащит санки, еле идет. На санках куль небольшой, веревкой обвязанный. Хоть сверху не видно, однако известно: там усопший младенец. Баба пройдет немного, встанет. Потом снова идет. И никого на всем проспекте, только поземка.

Знамение это было страшней первого, но понятней второго. Быть сему месту пусту? Нельзя того допустить!

«...и Твое сохраняя Крестом Твоим жительство».

Сказал священные слова – победил Пустоту. Снова проспект переполнился, задвигался. Только не людьми, а железными крышами малыми, разноцветными. И чудно́: половина по правой стороне тащится, половина – по левой, встрень. По берегам-третуарам выставлены картины пестрые, на них девки намалеваны, тощие, полуголые, зубы скалят.

Плюнул на всю эту непонять из-под облаков. Зафырчал проспект: фрр-фрр. Полетели брызги черные.

Не «фрр-фрр», а «карр! карр!» Не брызги – во́роны.

То ли каркают, то ли по-иностранному кричат. И выше, выше подбираются. Уже близко они. Клювы острые, когти врастопыр.

Сейчас накинется, мелюзга бесовская, рвать зачнет. А молитвы нет – слова, как дальше, забылись. Не вспомнить.

## ВОРОНЬЕ ГНЕЗДО

На второй год боевых действий почти весь Генеральный штаб (а вместе с ним отдел IIIb, к которому был приписан майор Йозеф фон Теофельс) вслед за Oberste Heeresleitung, ставкой Верховного главнокомандования, переместился в Силезию, поближе к Восточному фронту. Разместились удобно, в охотничьем замке Плес, но по мере того, как война набирала силу, разбухала и главная квартира. Ко второй зиме не только во флигелях и пристройках, но в оранжереях, подсобных помещениях, даже сторожках и сараях поселились Sektionen и Abteilungen* разной степени необходимости. При этом размещение не всегда соответствовало истинной полезности подразделения. К примеру, Abteilung IIIb, без которого великая армия оглохла бы и ослепла, ютился в бывшем птичнике.

* Секторы и отделы *(нем.)*.

Из прежнего курятника велось управление всей гигантской агентурной сетью, пронизывавшей тылы вражеских государств. В утятнике расположился мозговой центр контрразведки. Фронтовой разведкой руководили из гусятника. Сектору военной журналистики, агитации и пропаганды достался индюшатник. Цензура и сектор военных атташе делили страусиный вольер. В кабинете начальства когда-то хранились свежие яйца. Шутки по этому поводу офицерам давно уже надоели, но прозвища («куроводы», «селезни», «индюки» и прочее) присохли намертво и в дальнейшем, когда Ставка сменила дислокацию, уже не менялись.

В этом птичьем царстве майор бывал нечасто. Только по экстренному вызову – как сейчас. Фон Теофельс был у руководства на особом счету, способного офицера приписывали то к одному сектору, то к другому, в зависимости от задания. Поручения неизменно относились к категории сверхважных, однако важность не всегда сочеталась с *интересностью*, а именно этот параметр являлся для Зеппа определяющим. Он любил свою работу, она составляла весь смысл его существования, а за каким чертом жить, если скучно?

Судя по тому, что под телеграммой стояла подпись подполковника Колнаи, начальника разведсек-

«То не вѣтеръ леденящій  
По-надъ шляхомъ засвистѣлъ.  
То на запахъ на смердящій  
Воронъ черный полетѣлъ»

тора, можно было надеяться на что-нибудь живое. И все-таки Зепп немного волновался. Всю дорогу он проделал на мотоциклете, чтоб как следует разогнать кровь. Гнал на восьмидесяти, останавливался лишь залить бензина да сжевать бутерброд. Когда показался шлагбаум, кордон первой линии оцепления, фон Теофельс не сбавил скорость, а еще наподдал газу и эффектно затормозил у самого шлагбаума.

Чем ближе к замку, тем больше на дороге становилось автомобилей. Черные, стремительные, они летели в Ставку и обратно, доставляя воинских начальников и курьеров с секретными пакетами. Будто вóроны вокруг вороньего гнездовья, подумал Зепп, которого предстоящая встреча настраивала на поэтический лад. Он даже запел по-русски: «Не стая воронов слеталась на груды тлеющих костей...» Лихой ветер уносил песню вместе с дорожной пылью.

Ах, если б снова за линию фронта! Надоело ходить в мундире, жить по правилам.

Правда, минувшим летом он занимался делом невидным и неблагодарным, но очень, очень занятным: налаживал у союзников-австрийцев новую систему фронтовой разведдеятельности (собственная разработка). Идея была здравая, простая, всем выгодная.

Обычный шпион, обслуживающий зону боевых действий, труслив и бездеятелен. Его можно понять – если попадется, сразу вздернут или расстреляют. Заработки чепуховые, а риску много. Из-за этого агенты добывают мало информации и многое присочиняют.

Что придумал Зепп? Пойманных русских шпионов не казнить, а перекупать. Мол, зачем человеку существовать на жалованье от одного начальства, когда можно получать сразу два вознаграждения, в рублях и в кронах? И своим агентам рекомендовалось то же самое: идти с повинной к русским и предлагать свои услуги.

Выгода здесь не только в двойной оплате. Еще важнее безопасность. Виселицы можно не бояться, от патрулей не прятаться, через линию фронта переправят в лучшем виде и так далее. Противник снабжает двойника ложными сведениями, по которым легко вычислить истинное положение дел. Люди оживают, начинают давать превосходные результаты. Потерь минимум. Красота!

Конечно, есть риск, что шпион-двоеженец сочтет главной супругой русскую разведку, но это вряд ли. Помогут два обстоятельства. Во-первых, нужно больше платить. Во-вторых (это главное), сердечнее относиться. Всякому приятно, когда его уважают.

Особенно если твое ремесло у дураков считается презренным. Вот русские офицеры агенту руки не подают, разговаривают брезгливо, иной раз и сесть не предложат. А мы не то что руку – обнимем и к груди прижмем, про семью расспросим, водочки-наливочки с героем выпьем, поахаем на все его приключения. С душой надо к сотрудникам относиться, и они в лепешку разобьются, чтобы оправдать такое к себе расположение.

Поработал неплохо, австрийские коллеги остались довольны. Но именно из-за этого возникла следующая командировка, исключительного занудства. Генерал-полковник фон Гетцендорф личным письмом попросил фельдмаршала фон Гинденбурга откомандировать в распоряжение австрийской Ставки капитана фон Теофельса для организации охраны сверхсекретного объекта: 305-миллиметровой чудо-пушки «Шкода», предназначенной для стрельбы бронебойными снарядами по мощным крепостным укреплениям. Ради повышения статуса присвоили Зеппу внеочередной чин (было бы за что), дали штат сотрудников, и несколько недель новоиспеченный майор катался взад-вперед по железным дорогам. Работа по обеспечению безопасности была ерундовая, любой педант бы справился, но сколько волынки, сколько нудной суеты!

Стальное чудовище можно транспортировать только в разобранном виде, на нескольких платформах. При каждой сборке-разборке тысяча формальностей. В момент выстрела, который осуществляется дистанционно, нельзя приближаться к орудию ближе, чем на триста метров, иначе смертельная контузия. В конце концов Теофельс запросился в отпуск для поправки здоровья: мигрень, тремор, частичная потеря слуха. К черту такую статусность.

Но и в отпуске скоро соскучился. Не был он создан для семейной жизни. Не та порода, не та группа крови. Вернуться под древние своды родового замка, конечно, было приятно. Жена содержала Теофельс в образцовом порядке. И сама она тоже была совершенно образцовая. Настоящая генеральская дочь, воспитанная в традициях долга и ответственности. Для разведчика, чья жизнь принадлежит службе, а наезды домой редки и нерегулярны, никакая иная супруга не подошла бы. Просто не выдержала бы такого сосуществования. Зепп относился к жене с уважением и благодарностью, как на фронте относятся к надежному тылу, о котором можно не заботиться. Ирма платила мужу той же монетой, ведь он был герой, настоящий немецкий офицер.

Оба держались в высшей степени тактично. Своими проблемами друг друга не обременяли, а общая зона ответственности у супругов была только одна – воспитание сына. Здесь всё тоже обстояло почти идеально. Мальчик рос шустрый, смелый, любознательный. На папу глядел с трогательным обожанием. Не полюбить малютку было трудно, пришлось задействовать всю недюжинную выдержку.

Любовь – чувство, в которое Йозеф фон Теофельс не то чтоб не верил (отлично верил и не раз использовал в работе), но которое считал для настоящего разведчика недопустимым.

Не совсем так. Любить можно, даже полезно что-нибудь абстрактное: Родину, нацию, идею, принцип. Такая любовь делает человека сильней, может превратить его в стальной таран, всё сметающий на пути.

Но любовь *к кому-то*, к конкретному человеку делает тебя уязвимым, а значит, слабым. Оглянешься на бегу, дрогнешь в миг выбора, поддашься жалости – и всё, проиграл. В сущности, жизнь состоит из череды побед и поражений. Маленьких, средних, больших. Бывают слабаки, которые никогда и ни в чем не побеждают. Но нет таких героев, кто вовсе не ведает проигрыша. Задача – концентрировать силы на главных целях, без сожаления жертвуя третьестепенными. Тот же закон, что на войне. Собрал войска в кулак, прорвал фронт или нанес мощный фланговый удар, а прочее мелочи. Победителей не судят.

Йозеф фон Теофельс был однолюбом. Он знал лишь одну всепоглощающую страсть – любовь к победе. Не важно в чем. В деле, которым он в данный момент занимался и которому отдавал все силы своего острого ума и бронированной воли. В этом и заключался источник его силы, его смелости. Чувство страха майору было неведомо – так, что-то смутное вспоминалось из раннего детства, не более. Зачем жить, если ты разбит? Чем проиграть, лучше погибнуть.

Жена – та понимала. В душу не лезла, довольствовалась тем, что Зепп ей давал. Но сын был еще маленький. Усвоить зепповскую диалектику любви он был пока не в состоянии. Смешной рыжик таращился на бравого папашу круглыми глазенками, которые так и сияли любовью.

Словами объяснять было рано. Только поступками. Как вчера, при расставании.

# 24 ЧАСА НАЗАД

Ровно сутки назад, когда Зепп, получив интересную телеграмму, моментально собрался в дорогу, жена с сыном вышли его проводить к воротам.

Ирма вела себя безукоризненно. За полчаса собрала саквояж и провизию в дорогу, обняла, сдержанно поцеловала сухими губами. Даже улыбнулась. Зеппу показалось, что без печали, но это его нисколько не задело.

Зато сынишка держался из рук вон. Шестой год уже, а разнюнился. Всхлипывал, лепетал «папа, папа, не уезжай». Ужасно хотелось его прижать к себе, потереться носом о теплую макушку, но Зепп стиснул зубы. Слабость – как гниль. Ее надо вырезать, выжигать в зародыше, пока не расползлась.

Применительно к сыну у него тоже была цель: вырастить его настоящим фон Теофельсом. Удастся – будет победа. Не удастся – поражение.

Майор наклонился к сыну и больно щелкнул его железным пальцем по носу. Из симпатичной веснушчатой кнопки полилась кровь.

«Волкъ волчонка жизни учитъ,
Не ласкает, только мучитъ:
«Хочешь сытымъ быть, сынокъ,
Будь силенъ и будь жестокъ»

Что отцу понравилось – малыш не заревел, а только уставился снизу вверх непонимающими, широко раскрытыми глазами. Есть характер, есть!

Жена сделала движение, словно хотела притянуть сына к себе. В ее взгляде промелькнул не то страх, не то гнев. Но сдержалась, не подвела.

Всё это, разумеется, Зеппу было неприятно. Хорошо бы парень запомнил этот маленький урок на всю жизнь.

Вряд ли, конечно, одного щелчка будет достаточно. Щелчок – чепуха. В свое время сам Зепп получил от родителя урок куда более памятный.

Сколько же прошло лет?

## 24 ГОДА НАЗАД

– ...Главное же – вы отдадите мне сына! И навсегда – слышите, навсегда – оставите его в покое! Я не допущу, чтобы мой мальчик стал, таким как вы! Как все мужчины вашего проклятого рода!

Мать закашлялась. Она была сильно простужена, врачи подозревали пневмонию.

Десятилетний Зепп прятался за дверью. Когда в коридоре раздались тяжелые шаги, мальчик выскользнул через гардеробную. Он знал, что отцу не понравится нарушение режима. Ночью ребенок должен находиться в постели и спать. Выскользнуть Зепп выскользнул, но не ушел. Ему хотелось посмотреть, что произойдет. Днем мать о чем-то долго спорила с отцом, из спальни доносился ее сорванный голос и хриплый кашель. И сейчас, ночью, целуя сына, она успела сказать, что скоро они заживут по-другому.

И вот он прижался к щели, подслушивал, как Эвелина фон Теофельс выдвигает своему супругу ультиматум. Он даст ей развод и полную свободу, мальчик будет жить с ней.

Зепп вырос с матерью, отца видел редко. Если бы больше вообще никогда не увидел, не заплакал бы. Зепп был всецело на стороне Эвелины и боялся только одного – что она не выдержит спокойного, ледяного голоса, которым говорил с ней оберст-лейтенант фон Теофельс.

– Вы меня не интересуете, – с непоколебимым терпением повторил отец. – Можете уезжать куда вам угодно. Супруга, не сознающая своего долга, мне не нужна. Я дам вам развод. Можете забрать себе дочь, ее вы все равно безвозвратно испортили. Но превратить Йозефа в размазню я не позволю. Он Теофельс. Я отправлю его в кадетский корпус. Вы никогда его больше не увидите. И не упрашивайте. Вы меня знаете, я своих решений не меняю.

Мальчик задрожал в темной комнатке, где пахло духами, мехом и чуть-чуть нафталином. Но страх прошел, когда мать хрипло засмеялась.

– Я не собираюсь вас упрашивать, я не настолько глупа. Я буду угрожать. У железного герра подполковника есть одно слабое место. Вы боитесь скандала, боитесь лишиться службы. О, я все продумала! Недаром я прожила с вами двенадцать лет! Знайте же, я наняла частных детективов. Они выследили вас в Ливорно! Тайно сфотографировали, как вы сидите на балконе с этой авантюристкой. Взяли показания служителей отеля, выкупили чек с вашей подписью.

– Глупости. Это одна из моих осведомительниц. Если я сплю с ней, то ради интересов службы. Когда мы с вами вступали в брак, я предупреждал...

– Мало ли что вы предупреждали! – Мать снова зашлась кашлем, но он звучал не жалобно, а триумфально. – Неужто вы подумали, что я ревную? У меня есть неопровержимые доказательства супружеской измены! Я напишу об этом императрице, она меня помнит и любит! Вас выгонят из армии! Не думаете же вы, что начальство станет вас покрывать? Выбирайте: или вы отдаете мне сына, или...

Договорить ей не позволил новый приступ.

– Однако вы совсем расхворались, – вздохнул отец. – Мы поговорим, когда вам станет лучше.

– Я... уже... всё вам... сказала.

– По крайней мере выпейте микстуру. Мне только что доставили ее из Штутгарта.

И, к облегчению маленького Зеппа, ужасная сцена закончилась.

Ночью мать умерла. Доктор сказал, что в легком от натуги лопнул кровеносный сосуд. В следующий раз мальчик увидел ее в гробу, среди белых лилий.

Зепп кусал губы, давился слезами. По малости лет он еще не знал, что любовь к отдельным личностям деструктивна.

После долгой, тягостной церемонии отец отвел его в кабинет.

– Я мог бы тебе этого не говорить, – сказал подполковник, глядя на своего отпрыска стальными глазами. – Но скажу. Иначе получится, что Эвелина умерла зря. Ты ведь подслушивал наш разговор? Не отпирайся, я знаю. В микстуре был яд.

– Что?!

– Я чувствовал, что за мной в Ливорно следили. Выяснил, кто. Догадался, зачем. И принял меры. Я сделал это не из страха. Я сделал это не ради карьеры. Я сделал это ради тебя. Завтра ты отправишься в кадетский корпус и к концу учебного года станешь лучшим в классе. Ведь ты – фон Теофельс. Всё, можешь идти.

Несколько лет Зепп ненавидел отца, даже собирался отомстить. Потом созрел, поумнел, оценил. Теперь вот вспоминал покойника с благодарностью.

## НОВОЕ ЗАДАНИЕ

Чтоб добраться до бывшего птичника, майору фон Теофельсу пришлось миновать четыре поста и расстаться со своим «некарзульмером». На территорию главной квартиры допускались только моторы и экипажи, приписанные к Ставке. Сняв очки-консервы, кожанку, кепи, перчатки с раструбами, Зепп умыл серое от пыли лицо у водопроводной колонки, расчесал волосы, снял с сапог широкие краги. Теперь, когда до встречи с начальником сектора оставалось всего ничего, разведчик вдруг перестал спешить. При сугубой рациональности он давал себе небольшое послабление по части суеверных предосторожностей. Одна из главных гласила: не кидайся на добычу впопыхах – спугнешь. А настроение у майора сейчас было, как у лиса, подкравшегося к курятнику. Что за добыча его ждет? Если какая-нибудь сладкая, пройдусь по штабному коридору на руках, пообещал он Судьбе, надеясь ее подкупить. Можно биться об заклад, что ни в одном германском штабе никто еще на руках не ходил.

Ну, пора!

Первое предзнаменование было чрезвычайно обнадеживающим. Подполковник Колнаи разговаривать с вновьприбывшим офицером не стал, а выписал ему пропуск в управление генерал-квартирмейстера, к Самому Высокому Начальству. Это могло означать, что задание будет особенной, стратегической важности.

С другой стороны, не всякая стратегия интересна человеку с азартной душой. Вдруг опять что-нибудь «статусное» или, не дай Боже, дипломатическое?

Самым Высоким Начальством для Зеппа был старый, опытный генерал, которого в Курятнике все за глаза называли Schnurrbart*, хотя начальник носил весьма звучную трехступенчатую фамилию и даже имел титул. Карьера сего памятника германской разведки восходила к мифическим доимперским временам.

В приемной адъютант велел обождать, а «чтобы герр майор не скучал», дал ему сводку за минувшие сутки. Скука тут, разумеется, была ни при чем. Раз посетителю перед вызовом в кабинет дают сводку, значит, так надо.

Зепп внимательно просмотрел сообщения с фронтов, пытаясь угадать, какое из них связано с предстоящим заданием.

Западный театр военных действий. Северо-восточнее Экюри. После ожесточенного боя у французов отбита траншея протяженностью 300 метров.

Восточный театр. Группа армий фельдмаршала фон Гинденбурга. Близ Сморгони отбита атака про-

* Ус *(нем.)*.

тивника крупными силами. Группа армий генерала фон Лизингена. Немецкие и австро-венгерские войска отбили все попытки русских прорваться на западный берег реки Стырь.

Балканский театр. Наступление совместно с болгарскими союзниками продолжается. Захвачено 12 орудий.

Прочитал, осмыслил, а тут и в кабинет позвали.

Второе лучезарное предзнаменование: Шнурбарт был не один, а со своим заместителем генералом Моноклем (тоже прозвище, потому что без стеклышка в правом глазу этого господина никто никогда не видел). Монокль был на двадцать лет моложе шефа, то есть принадлежал к новому, постбисмарковскому поколению стратегов. На этого сухого, едкого офицера возлагались большие надежды. Поразительней всего, что старик и его помощник отлично уживались друг с другом. Если не душа в душу, то мозг в мозг.

Начальник сидел за столом, заместитель стоял у окна, сцепив руки за спиной.

Майор вытянулся, отрапортовал о прибытии. У генерала Уса была слабость: любил, чтоб подчиненные выглядели орлами, хотя на кой это разведчику, непонятно.

Кивнул. На свирепом лице качнулись мясистые брыли. Пальцем показал на стул: садитесь. Это означало, что беседа будет долгой.

Зепп целомудренно, как юная институтка, сел на краешек стула и воззрился на Монокля. В подобных случаях всегда говорил заместитель, а начальник только сверлил вызванного тяжелым взглядом. Ус почитал себя мастером психологического наблюдения (надо сказать, не без оснований).

– Прочли? – спросил Монокль. Он тоже не отличался излишней болтливостью. – Ну и как?

Это про сводку, сразу понял фон Теофельс. Что тут спрашивать? И так ясно.

– Противник ведет активные наступательные действия по всему Восточному фронту. Прошлогодние неудачи не лишили русскую армию боеспособности.

Оба генерала одобрительно наклонили головы – вывод был правильный и предельно лаконичный.

– Это означает, что цель кампании 1915 года не достигнута, – все-таки счел необходимым присовокупить Монокль. – Захвачена огромная территория, царь Николай потерял два с половиной миллиона солдат, но Россия не рухнула. Нам по-прежнему предстоит воевать на два фронта. Одержав множество тактических побед, в стратегическом смысле мы потерпели поражение. Не буду анализировать просчеты командования, это не нашего с вами ума дело. Тем более что на участке, за который отвечаем мы, тоже не все благополучно.

– О да, – сказал Ус и насупил кустистые седые брови. – О да...

Будут снимать стружку, подумал Зепп. Интересно, за что.

– Вы помните, как легко нам было работать в канун войны и в самом ее начале. Теперь дела, увы, обстоят иначе. – Монокль вынул из-за спины руки, изящно развел ими. Руки были в белых перчатках, что майора несколько удивило. Впрочем, заместитель слыл щеголем. – Русская разведка и контрразведка стала чертовски опасным противником. К сожалению, мы их недооценивали. Провал операции по прорыву русского Северного фронта произошел из-за того, что мы предоставили командованию ложные сведения, подсунутые нам русскими. Оказалось, что нашего ключевого агента в их генеральном штабе перевербовал Жуковский!

– Шуковски, – повторил Ус, брезгливо шевельнув своими чудесными усами. – Да-да, Шуковски.

Монокль продолжил:

– Все мы отлично знаем, что эффективность работы разведки зависит от личных достоинств руководителя. – Почтительный взгляд в сторону начальника. Ус слегка пожал плечами: мол, что правда, то правда. – Генерал Жуковский – очень активный, изобретательный оппонент. Он нам надоел. Нужно его нейтрализовать. Именно в этом и будет заключаться ваше задание.

«Прощай, малютка Шкода, – подумал майор. – Пусть твои прелести стережет кто-нибудь другой». И еще, конечно, подумал: «Сказка, а не задание. Решено – пройдусь на руках!» Но, памятуя о пронизывающем взгляде физиогномиста Шнурбарта, лицу придал выражение ответственное и озабоченное.

Заместитель приподнял свободную от монокля бровь, что означало: «Вопросы?»

– С вашего позволения, экселенц. Я не совсем понял. Вы хотите, чтобы я физически устранил генерала Жуковского? – Зепп подпустил в интонацию чуть-чуть скептицизма.

– А что, не справитесь? – ехидно скривил угол рта Монокль.

Короткой улыбкой майор дал понять, что оценил шутку, после чего продолжил:

– Неэффективно. Это сделает из Жуковского героя. Оно бы пускай, не жалко. Но административные последствия легко предсказуемы. Вместо Жуковского назначат кого-то из его ближайших помощников. У руководства останется та же команда, а значит, и стиль работы останется прежним. Насколько я понимаю, это не соответствует нашим интересам.

Начальники переглянулись, причем более молодой усмехнулся, а старик потрогал кончик уса.

– Ну и как бы поступили вы, майор?

– Если мы хотим заменить всю верхушку разведки и контрразведки, лучше прибегнуть не к убийству, а к дискредитации. Тогда мы избавились бы не только от Жуковского и его окружения, но и скомпрометировали бы всю стратегическую линию, которую проводит эта команда. Однако операция такого рода гораздо сложней, чем физическое устранение. Понадобится много времени на подготовку.

Теперь улыбались оба генерала, без ехидства и без насмешливости.

– Что я вам говорил, экселенц? – заметил Монокль.

– Да, – ответил Ус. – И я сразу сказал: Теофельс.

Начальники были явно довольны. Позволил себе слегка улыбнуться и Зепп.

– Мы с его превосходительством пришли точно к такому же выводу. – Монокль сдул с перчатки невидимую соринку. – И времени на подготовку понадобится совсем немного. Ибо план уже разработан. Вам предстоит провести его в жизнь, только и всего.

Движением бровей майор показал, что он весь внимание.

– Представьте себе, что в руки недоброжелателей Жуковского (а таких в их Генштабе и Ставке хватает) попадает расписка примерно следующего содержания: «Я, Владимир Жуковский, получил от британского представителя такого-то 50 или там 100 тысяч за такие-то и такие-то, неважно какие услуги». Всем известно, что Жуковский англофил и сторонник тесного сотрудничества с британской разведкой. Враги генерала давно говорят, что он делится с «Интеллидженс сервис» секретами. А тут появится такая вот расписочка. Кому нужен начальник разведки, получающий гонорары от иностранцев, хоть бы даже и союзников?

– Осмелюсь возразить, экселенц. Царь не поверит. И вообще мало кто поверит. У Жуковского белоснежная репутация.

– Ну разумеется, генерал будет негодовать и говорить, что его оклеветали, что расписка фальшивая, что почерк и подпись подделаны. В доказательство своей невиновности он потребует провести дактилоскопическую экспертизу. Сейчас все помешаны на отпечатках пальцев, русские не исключение. Уверен, что Жуковский сам – непременно сам – будет настаивать на этом, чтобы полностью снять с себя подозрение. Дактилоскопию сделают. И что же?

Шнурбарт шлепнул ладонью по столу:

– Ха! Отпечатки обнаружатся!

– Вот именно. – Монокль приятно улыбнулся. – На расписке окажутся отпечатки пальцев господина генерала. Скандал, естественно, замнут, чтобы не выносить сора из избы и не портить отношений с англичанами, но от герра Жуковского мы навсегда избавимся, в этом можно не сомневаться.

– Прошу извинить, экселенц... Вы хотите сказать, что Жуковский действительно берет плату от англичан и выдает расписки?

– Нет, расписка будет поддельная. У нас в Петербурге есть великолепный специалист. Никакая графологическая экспертиза не распознает фальшивки.

– Виноват, но я все равно не понимаю... Можно подделать рукописный документ, но не отпечатки пальцев.

Монокль всплеснул руками:

– Про это сейчас объясню, но вы сказали про документ, и я вспомнил. Я должен вручить вам знаменательный документ, с высочайшей подписью.

– В самом деле, – проворчал старик. – Нехорошо. Совсем забыли.

Зеппу показалось, что в глазах Уса сверкнула искорка.

– Мой дорогой Теофельс, вы удостоены письменной благодарности его величества за отличную службу. Вы разрешите, экселенц? – Заместитель взял со стола бювар, почтительно вынул оттуда листок, украшенный гербом и печатями. – Встаньте, майор!

Офицер вскочил, вытянулся, придал лицу подобающее торжественному случаю выражение.

– Мы все тут не любители церемоний, так что читайте сами. – Монокль протянул грамоту. На желтоватом пергаментном фоне белизна перчатки смотрелась просто-таки ослепительно.

Двумя руками, склонив голову, принял Зепп знак августейшей признательности. Заранее подпустил в глаза растроганного тумана. Майор был не то чтоб совсем равнодушен к почестям, но главной наградой за хорошо выполненное задание для него были не железки или бумажки, а *чувство победы*.

– Тысяча извинений, ваше превосходительство, но вы перепутали, – сказал он, дочитав до второй строки. – Это письмо адресовано не мне, а какому-то обер-лейтенанту фон Клюге.

Он вернул бумагу.

– В самом деле? – Монокль двумя пальцами взял грамоту. – Непростительная рассеянность.

Генерал Ус хрипло рассмеялся. А его заместитель повел себя очень странно. Он взял со стола бритву,

«Лихіе чары злой колдунъ
на Русь святую насылаетъ»

осторожно поддел что-то на самом уголке бумаги, а потом – о кощунство! – разделил высочайшее письмо на два слоя, причем верхний, осененный подписью кайзера, скомкал и небрежно швырнул в мусорную корзинку. В руках у Монокля остался очень тонкий, совершенно чистый листок.

– Вот ваши отпечатки пальцев, на обратной стороне, – показал он. – Специалист-графолог напишет здесь любой текст вашим почерком, и любая экспертиза подтвердит, что это ваших рук дело. Ясно?

Шеф посмеивался в усы.

– Двухслойная бумага. Разработка нашей технической лаборатории. Пустячок, а сколько пользы, – сказал он горделиво, будто сам был автором хитрого изобретения. – Продолжайте, генерал.

– Благодарю, экселенц. Итак, ваша задача, майор, подсунуть наш чудо-листок в руки Жуковскому. Лично. Пусть он подержит бумагу и вернет вам обратно. Только и всего. Но вручать ее нельзя официально, в кабинете. Она попадет в папку «входящие», и больше вы ее не увидите. Нужна непринужденная, неформальная обстановка. Скажите, Теофельс, вам нравятся аристократические женщины?

– Мне нравятся все женщины, полезные для дела, – осторожно ответил Зепп, пытаясь угадать, куда клонит Монокль.

– Вот и отлично. Тогда объясняю детали операции с кодовым названием «Ее светлость».

– Кто? – переспросил фон Теофельс.

– Светлейшая княгиня Верейская. Петербургская гранд-дама, имевшая несчастье находиться на одном из рюгенских курортов в момент начала войны. Бедняжку интернировали. В отличие от других дам, она не получила разрешения покинуть рейх через Швейцарию или Швецию. Мечтает убежать. Это истинная патриотка. То и дело пытается подкупить рыбаков, чтоб ее переправили за море.

– Почему же ее не выпускают, экселенц? Эта женщина нам чем-то интересна?

– Сама по себе нет. Пустейшее, вздорное создание. Но она кузина жены генерала Жуковского. Поэтому мы ее в свое время и задержали. На всякий случай. Вот случай и подвернулся. Излагаю исходные условия задачи...

В доме одном было. У хороших людей. Они, милые, знают – зеркало в прихожей тряпкой бархатной завесили. А она, тряпка-то, возьми и соскользни, аккурат когда мимо проходил. Ну и увидел маету зерцальную, всегдашнюю. Отшатнуться бы, да поздно. Глаз не оторвешь.

Сначала себя было видно, коротко. Потом будто дымом белым заволокло, заклубило. И, конечно, лед белый. Море, озеро или, может, река.

Треск, хруст, трещины во все стороны. В одном месте лопнуло и расползлось. Пролубь там черная, страшная. Зияет. Раскрылась пролубь, начала тянуть, присасывать. Сквозь дым, сквозь мороку, вниз, вниз, вниз. Грудь, брюхо стиснуло, не вздохнешь.

Раздвинулись края, будто пасть великана белоусого, белобородого. И ухнула душа живая, теплая, мягкая в черное, мертвое, холодное.

Закричал, конечно.

## ЕЕ СВЕТЛОСТЬ

Лидия Сергеевна Верейская второй год томилась в тевтонском плену.

Тысячу, миллион раз прокляла она день, когда вместо обычной Ниццы вздумала опробовать новомодный немецкий Бинц. Знакомые, отдыхавшие здесь летом тринадцатого года, расхваливали до небес опрятность здешних купален, чудесный воздух, мягкий климат, феерическую свежесть молочных продуктов и прелестное радушие местного населения, в отличие от французов, не избалованного нуворишами.

Ох и хлебнула же княгиня этого «прелестного радушия» за пятнадцать месяцев!

Страдания ее были невыносимы. Сразу же после объявления войны Лидию Сергеевну переселили из коттэджа, который она снимала на эспланаде Вильгельмштрассе, в какой-то жалкий пансион, причем уплаченных денег, natürlich, не вернули. Пришлось ютиться с горничной Зиной в трех комнатках, без ванной, без гардеробной, так что из-за сундуков и коробок с платьями и шляпами было буквально не повернуться. Парикмахера забрали в армию, маникюрша отказалась приходить к русской из патриотических соображений, поэтому Зинаиде пришлось осваивать занятия, к которым у нее не наблюдалось ни склонности, ни таланта. Всякий раз, когда немецкие войска испытывали трудности на фронте или кто-то в городке получал похоронное извещение из действующей армии, Верейская боялась выйти на улицу. Запросто можно было услышать что-нибудь оскорбительное. Тяжелее всего пришлось в мае, когда все германские газеты писали о немецких погромах в России. Якобы москвичи целых три дня охотились на людей с нерусскими именами, громили магазины и частные дома, многих покалечили и даже убили. Княгиня не знала, верить этому или нет. У нее иногда возникало ощущение, что когда она наконец вырвется на родину, то не узнает своей милой России.

Отчизна, кажется, сильно переменилась. Как привыкнуть к тому, что Санкт-Петербург теперь называется Петроградом? Что на Рождество больше нет елок, которые объявлены германской блажью?

Что многие знакомые, совершенно русские, православные люди, которым от далеких предков досталась приставка «фон», теперь вынуждены менять фамилии? С Родины писали (письма шли через Красный Крест, два-три месяца), что фон Траубы стали Руслановыми, а фон Берлинги, по матери, Фетюшкиными. С ума посходили! Покойный супруг Лидии Сергеевны, между прочим, тоже был наполовину эстляндец, его матушка née* Бенкендорф, так что с того? Всё российское дворянство, если начнешь разбираться, перероднилось с немецкой, польской, кавказской аристократией. Сколько русской крови в его императорском величестве Николае Александровиче? Кажется, одна шестьдесятчетвертая, все остальное – от Гольштейн-Готторпов, Гессен-Дармштадтов да прочих Глюксбургов.

Не в крови и не в фамилиях дело! Истинно русскому человеку нестерпим мелочный, расчетливый и мстительный немецкий дух. Душа княгини рвалась на родной простор, где малиново звенят колокола, где славные бородачи гонят по морозу свои расписные тройки, где на Пасху христосуются и дарят друг другу яйца от Шрамма или Фаберже.

---

* Урожденная *(фр.)*.

Упорством и смелостью природа ее светлость не обделила. Денег, слава Богу, тоже хватало. Из Швейцарии каждый месяц приходил перевод, управляющий как-то это устроил. Трижды Лидия Сергеевна пыталась бежать из неволи.

Ну, первый раз не в счет. Она была неопытна. Просто села на цюрихский поезд, понадеявшись на свой немецкий язык и на то, что в купе первого класса пограничные чиновники заходить не станут.

Второй раз попробовала уплыть на датском корабле, сняли ее уже в море. Так и непонятно, откуда узнали и кто донес.

В третий раз заплатила одному рыбаку, чтобы отвез на своем баркасе в Швецию. Обманул, подлая немецкая скотина. Деньги взял, а к назначенному месту не явился. Теперь встречает на улице – зубы скалит. Знает, что в суд на него не подашь.

На четвертый раз княгиня учла все ошибки. Теперь всё должно было получиться.

## Роковая ночь

Братья Редлихи предложили русской свои услуги сами. Они тоже были рыбаки. Оказывается, подлый обманщик (тот самый, третья попытка) спьяну похвастался им, как ловко и легко заработал свои серебреники. Редлихи потолковали между собой, все обсудили, взвесили. В море за салакой ходить стало опасно: сорвавшиеся мины плавают, англичане шныряют, свои сторожевики иной раз палят без предупреждения. А тут дело, конечно, рискованное, но выгодное. За ночь можно заработать, как за полгода. А возвращаться обратно незачем. Можно до конца войны отсидеться в Швеции, потому что младшему из братьев только 40 лет и его запросто могут мобилизовать.

Всё это они объяснили Seine Dürchlaucht* так же обстоятельно, по пунктам, загибая корявые

* Ее светлости *(нем.)*.

пальцы. Верейской их откровенность понравилась. Кроме того, Лидия Сергеевна читала в какой-то ученой статье, что фамилии закрепляются за семьями неслучайно. Родоначальник графов Толстых наверняка был пузат, предок бывшего министра Дурново нехорош собой, а Вася Татищев, так некрасиво поступивший с Нелли Ланской во время коронации 96-го года, происходит от какого-то Татищи, то есть большущего татя, разбойника. В этом смысле фамилия рыбаков вызывала доверие*. Княгиня их так про себя и называла: «честные рыбаки».

Но, будучи умудрена горьким опытом, на сей раз приняла меры. Во-первых, дала вперед только задаток, десять процентов оговоренной суммы. Во-вторых, гордясь собственной предусмотрительностью, взяла расписку, где черным по белому, хоть и с орфографическими ошибками, было написано, за какие именно услуги произведена оплата. Если Редлихи обманут, расписку можно будет отдать в полицию. Что взять с пленной дамы? Ну, ограничат свободу передвижения, как после попытки номер один. А вот рыбакам выйдет верная тюрьма.

* Redlich – «честный» *(нем.)*.

Переговоры и выплата аванса состоялись в понедельник. После этого оставалось только ждать темной, в меру ненастной ночи. На Балтике, да еще в ноябре месяце, это не редкость. Наоборот, редкость – ночь не-темная и не-ненастная.

Во вторник днем они с Зиной уложили вещи. Взяли только самое необходимое: теплое, тэрмос, шкатулку с драгоценностями. Туалеты, вывезенные на курорт, Лидия Сергеевна перебрала и без сожаления оставила. Кому зимой пятнадцатого года нужны платья и накидки прошлолетнего сезона?

Едва стемнело, сели у окна, снаряженные по-походному. Княгиня в альпийских башмаках на шнуровке, в мериносовом нижнем белье, собольей накидке, голова по-походному повязана кашемировым платком. Зина оделась в вещи госпожи (не бросать же), и так себе понравилась в наплечном шотландском плэде, что даже перестала трястись от страха.

Редлихи должны были подать сигнал с мыса: трижды три раза посветить фонарем. Это будет означать, что ветер не слишком слаб и не слишком силен, а патруль уже завершил обход берега.

В половине двенадцатого, когда у Верейской были истерзаны все нервы, долгожданное мелькание наконец случилось. Роковая ночь настала.

«Ах, на погибель вѣрную
Вы, дѣвоньки-подруженьки,
Изъ терема отправились
Ночной порой ненастною»

Лидия Сергеевна (она была женщина решительная) сразу же перестала нервничать. Ожидание всегда давалось ей тяжелее, чем действие. Зато Зинаида вдруг обмякла, осела на стул и жалким голосом сказала:

– Лидочка Сергеевна, может, не надо? Ну как потопнем? Ужас какой, по морю плыть, с чужими мужчинами.

– Можешь оставаться, если ты такая трусиха, – сказала княгиня, зная, что верная Зина хозяйку не бросит (да и что глупышке делать одной в этом Бинце).

Взяла Лидия Сергеевна шкатулку, корзинку с провизией, перекрестилась и вышла на темную улицу, гордая и непреклонная, словно крейсер «Варяг».

Горничная, конечно, догнала ее еще до первого поворота. Отняла корзинку, всхлипнула. Верейская обняла верную подругу по несчастью, поцеловала в щеку.

– Вперед, Зинаида! Помнишь, я тебе читала из Некрасова про русских женщин? «В игре ее конный не словит, в беде не сробеет – спасет. Коня на скаку остановит, в горящую избу войдет». Мы с тобой русские женщины, это про нас!

Прошли по пустой аллее мимо закрытых на военное время купален общества «Остзее-бад», мимо бывшего Курзала. Городок остался позади. На пустынном берегу завывал ветер, за дюнами шумели волны.

До места, где честные рыбаки назначили рандеву, было версты две. Шли так быстро, что княгине, несмотря на пять градусов по Реомюру, стало жарко, и накидку пришлось пока отдать Зинаиде.

Окончательно Верейская успокоилась, что обмана не будет, когда увидела у причала большую лодку с мачтой и рядом две массивные фигуры в клеенчатых (или, может быть, брезентовых) дождевиках и живописных головных уборах, какие обычно носят рыбаки – вроде панамы, но прикрывающие шею и спину.

– Мы здесь, мы здесь! – закричала княгиня по-немецки, помахав рукой.

У самого моря песок был рыхлый, мокрый, весь в клочьях белой пены. Идти по нему в тяжелых альпийских бутсах оказалось непросто.

– Помогите же, – сердито сказала ее светлость, а когда невежи не тронулись с места, вполголоса прибавила по-русски: – Хамы.

– Где остальные деньги? – спросил старший из братьев, даже не поздоровавшись.

– В Швеции получите. Как договаривались.

Оба помотали головами.

– Так не пойдет. Мы должны половину оставить женам. Вон под тем камнем. Иначе на что им тут жить?

Попробовала было Верейская спорить, даже призвала на помощь Зину, но от той никакого прока. Уставилась, дуреха, на ощеренное белыми гребешками море и только бормотала: «Матушка-Богородица, страсть какая...»

– Ну хорошо, хорошо. – Лидия Сергеевна поняла, что теряет время. И потом, это же естественно, что люди заботятся о своих семьях. Даже трогательно. – Сейчас дам. Половину.

Она отвернулась, открыла шкатулку, где кроме украшений лежали марки. Половина минус десять процентов аванса это сколько будет? Нужно умножить тысячу двести марок на ноль целых четыре десятых...

В арифметике ее светлость была не сильна. Она неуверенно перебирала купюры. Поверх коробочек с брошками, кольцами и серьгами лежала жемчужная диадема, футляр которой не поместился.

Вдруг кто-то сзади выхватил ларчик из рук княгини, а саму ее грубо оттолкнул в сторону.

– Что вы делаете? – ахнула она. – Не смейте!

Младший брат пихнул ее в грудь, и светлейшая княгиня, с которой никто никогда не обходился подобным образом, плюхнулась на песок.

Зина самоотверженно бросилась на обидчика своей госпожи и даже успела царапнуть злодея по физиономии, но он стукнул бедняжку кулаком в висок, и она рухнула как подкошенная.

– Чего стоишь? – сказал младший Редлих старшему. – Договорились же. Я кончу бабу, ты девку. А после утопим.

Второй нагнулся, поднял с земли большой камень, и княгиня поняла, что этим грязным куском минерала ее сейчас убьют. Хорошо Зине – та лежала без чувств, этого ужаса не видела.

– Mordio!!!* – крикнула Лидия Сергеевна что было мочи. На берегу в этот ночной час никого оказаться не могло, но не молчать же, когда тебя убивают.

Еще догадалась выдохнуть по-русски: «Господи Боже!»

Это, очевидно, и спасло. Услышал Господь мольбу погибающей женщины.

Сверху, с дюны, донесся громкий крик (потрясенной княгине показалось – с русским акцентом):

– Вас махт ир, швайне?!**

Кто-то оказался в глухом месте, в глухое время! Кто-то не побоялся вмешаться!

---

* Караул! *(нем.)*

** Вы что делаете, свиньи?! *(нем.)*

«Невмочно молодцу сносить,
Когда злодѣй ужасный
Желаетъ каверзу свершить
Над дѣвою несчастной»

Повернув голову, Верейская увидела не один силуэт – два: повыше и пониже.

«Честные рыбаки» застыли, не зная, как быть. Один полез за голенище, должно быть, за ножом.

Но первый из спасителей, поменьше ростом, бурей налетел сверху и наотмашь ударил Редлиха-младшего, еще одним ударом сбил с ног Редлиха-старшего. Второй спаситель, высоченный костлявый мужчина в драном, будто снятом с огородного пугала пальто, молча поднял с песка увесистую корягу.

Этот жест положил конец сомнениям грабителей. Младший Редлих дернул старшего за руку, помогая подняться, и оба с топотом пустились наутек.

Лидия Сергеевна пыталась рассмотреть рыцаря, так доблестно одним махом двоих побивахом – расправившегося с братьями-разбойниками. В тусклом свете луны, едва пробивавшемся сквозь тучи, было видно не уместное для ноября соломенное канотье, черное пальто, из-под которого виднелись защитного (кажется) цвета брюки и высокие сапоги. Лицо героя оставалось в тени.

Но он нагнулся к лежащей, стало видно светлую щетину, блеснули пронзительные глаза.

– Майне фрау, – сказал незнакомец, беря Верейскую за руку, – зинд зи... как это, черт... зинд зи ин орднунг?

Второй присел на корточки возле Зины и, зачерпнув песка, стал тереть ей виски. Горничная застонала.

– Боже, – пролепетала Лидия Сергеевна, услышав «черта», – вы русский?

На простом, ясном лице неизвестного человека отразилось изумление.

– Вы... вы тоже?! Ну и оказия.

Он почесал затылок, отчего шляпа съехала ему на лоб.

– Господи, кто вы? Откуда? – не могла опомниться Верейская.

Небритый оглянулся, понизил голос.

– Я офицер. Сбежал из Дрешвица. Там лагерь для военнопленных.

– Да-да, знаю. Мы с Зиной посылали туда гостинцы на Рождество и Пасху. Этот господин тоже оттуда?

Долговязый молчун одной рукой придерживал плачущую Зину за плечи, другой неловко гладил ее по голове.

– Это мой денщик, Тимоша. У него после контузии и испытаний плена мозги малость съехали. Говорить членораздельно не может, только мычит. Не мог я его в лагере бросить, пропадет. Думали, найдем какую-нибудь лодку на берегу, махнем в Швецию. Где наша не пропадала... – Здесь беглец очень симпатично смутился. – Простите, сударыня, я не представился. Прапорщик Базаров, Емельян Иванович.

– Княгиня Верейская, Лидия Сергеевна, – с улыбкой ответила она.

– Матушки, барыня, что ж вы сидите?! – возопила тут пришедшая в себя Зина. – Мазурики шкатулку уносят!

Пока Верейская знакомилась со своим избавителем, братья Редлих удрали довольно далеко. Усердно шлепая по песку своими бахилами, они уже добежали до тропинки, что вела к городку.

– Догоните их, прошу! – спохватилась Лидия Сергеевна. – Они забрали все мои деньги! И драгоценности!

Прапорщик Базаров вскочил, даже сделал несколько шагов – и остановился.

– Пустое дело, ваше сиятельство. Шум поднимать нам не резон. Обойдется себе дороже...

Он, конечно, был прав. Бог с ней, со шкатулкой.

– Вообще-то мы, Верейские, носим титул «светлейших», так что правильное обращение «ваша светлость», – молвила она с улыбкой, давая понять, что говорит это не всерьез (но все-таки пусть он сознает, с кем имеет дело). – ...Однако вы можете звать меня просто «Лидия». Ведь мы товарищи по несчастью.

Тот поглядел на лодку и весело ответил:

– Надеюсь, будем товарищами по счастью. Баркас знатный и, кажется, с мотором. Опять же ветер подходящий. К утру, Бог даст, окажемся в шведских водах.

– Вы умеете управлять судном?

Он засмеялся:

– Через Байкал ходил, так и через Балтику как-нибудь перемахну. Тут до Треллеборга сотня верст всего.

Но Лидия Сергеевна все еще колебалась.

– Однако я теперь совсем без денег. Как же мы из Швеции попадем в Россию?

– Поездом, Лидочка, поездом. Первым классом. Все расходы беру на себя. Товарищи так товарищи. Денег у меня тоже нет, но зато есть вот что.

Веселый прапорщик подмигнул, расстегнул пальто и извлек откуда-то из-за пазухи мешочек на снурке. На ладони сверкнул причудливый, загогулистый кусочек желтого металла.

– Самородок, – показал Базаров. – Когда в армию уходил, с собой взял, на счастье. Я ведь, Лидуша, золотопромышленник. Так что Бог милостив, не пропадем.

От «Лидочки» и «Лидуши», от сверкающего самородка, от крепкого мужского запаха, которым дохнуло из расстегнутого ворота, Верейская несколько опешила. Она сама не очень понимала, откуда эта приятная отупелость. Стояла и смотрела, как мужчины споро и дружно отцепляют якорь, выталкивают лодку с отмели. Потом денщик легко поднял на руки ойкнувшую Зинаиду, Емельян Иванович так же просто, без церемоний, подхватил Лидию Сергеевну – и она поняла, в чем дело.

Пятнадцать месяцев она принимала все решения сама, ибо положиться было не на кого. И вот появился мужчина, он все решает и все делает.

Какое это облегчение! Какое чудо!

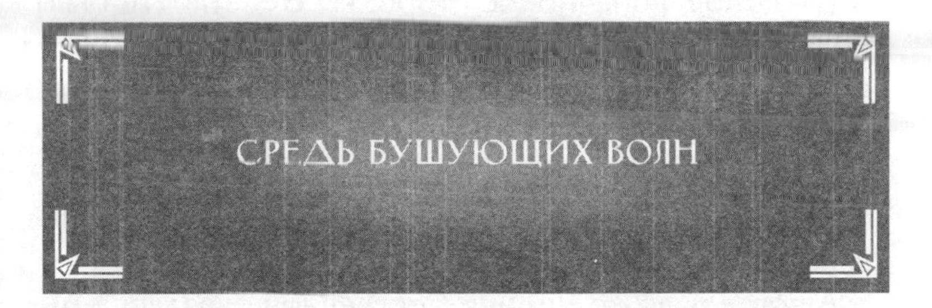

## СРЕДЬ БУШУЮЩИХ ВОЛН

С баркасом Емельян Иванович в самом деле управлялся замечательно. Пока была опасность наткнуться на катер береговой охраны, шли на одном парусе, бесшумно. Но часа через два прапорщик включил мотор и взял курс на норд-норд-вест. К рулю сел молчаливый денщик, а Базаров позволил себе отдохнуть – присоединился к Лидии Сергеевне, очень романтично и даже с некоторым уютом устроившейся на дне лодки. Ветер сюда не задувал, лежать на брезенте, под которым мягко пружинили сети, было удобно, а соболий мех не давал замерзнуть.

С умилением поглядев, как продрогший сибиряк трет ладони, княгиня сказала Зине, которая по-кошачьи свернулась клубком под боком у госпожи:

– Уступи место господину офицеру. Видишь, как он озяб, бедняжка.

Поступок, конечно, со стороны ее светлости был смелый, на грани неприличия. Но исключительные обстоятельства позволяли. Боже правый, до чего же все это было восхитительно! Хмурое небо в серых клочьях облаков, ускользающий свет луны, рокот волн, свист ветра, ритмичное покачивание суденышка, даже чихание мотора!

А когда рядом с Лидией Сергеевной оказался молодой мужчина (которому, не надо забывать, она была обязана спасением), сердце светлейшей княгини совсем растаяло. Герой простодушно предложил ей положить голову на его плечо, что и было с удовольствием исполнено.

«Какъ по морю синему, люленьки-люли,
Плыли до Россіи лодки-корабли»

Вдруг Верейской сделалось жарко. Отрывочные мысли понеслись, выталкивая одна другую.

Сколько лет прошло с тех пор, когда она последний раз клала голову на мужское плечо?

Какого Базаров возраста? Понятно, что моложе ее, но насколько?

Что означает поглаживающее движение его руки по ее шее? Случайность?

Ах, не случайность! Совсем не случайность...

И больше никаких мыслей не было.

Зина как зачарованная наблюдала за тем, что происходит на дне лодки. Собственно, было мало что видно, доносились лишь вздохи и нежные стоны, да беспокойно шевелился мех, но это еще больше распаляло воображение.

Про страх горничная позабыла. Всё было не как в жизни, а как в романсе: и челн, и море, и невероятная страсть. А чем она, Зина, хуже хозяйки? И сердце так бьется, прямо выпрыгнет.

Поглядела она на денщика Тимошу. Поначалу он ей не показался. Старый, облезлый, рожа лошадиная, ручищи что оглобли. Но миг был до того чудесен, а в груди распалился такой огонь, что беглый солдат показался девушке загадочным и прекрасным, будто бронзовый рыцарь дон Кихот, который в питерской квартире стоял на столике близ шифоньера.

– Можно я с вами сяду? – тихо молвила Зина, пристраиваясь на скамейку возле руля.

Он покосился на нее, что-то промычал.

Бедненький, из пушек по нему стреляли и в плену мучили. До того стало ей жалко Тимошу, что обхватила его за длинную шею, потеплей обернула воротник и не удержалась – прямо туда, возле острого кадыка и поцеловала.

Тимоша шумно вздохнул. Не иначе тоже от страсти.

## ВИДЕНИЕ ЯВНОЕ, СОБЛАЗНОЕ

Голова что-то разболелась. Прижмурил веки, пальцами на яблоки глазные надавил – помогает. Тут вдруг ни с того ни с сего примерещилось.

Сначала, как обыкновенно, туман. Густой, по-над водами стелется. Потом развиднелось, и видно челн, по простору скользит.

Круг челна куражится дева водяная, называется русалка, себя выказывает. С одной стороны поднырнет, с другой вынырнет. Волос у ней длинный, в него вплетены кувшинки. Груди налитые, круглые. Хвост гладкий, серебристый. Такой же смех – жур-жур, лукавый.

Ишь какая.

Имя русалке – Мечтанье Безгреховное, ибо как с ней согрешишь, если вместо грешного места у девы хвост? Но все одно к соблазну видение. Будет нынче что-то.

А и пускай.

Плавай себе, деворыбица, резвися, Господь с тобою.

Перестал веки тереть – туман и рассеялся, пропало всё.

## В ЧЕРТОГАХ БОЛЬШОГО СВЕТА

По случаю благополучного, если не сказать чудодейственного избавления из германского плена, едва вернувшись домой, Верейская устроила раут в узком кругу, только для своих – на сорок человек, сугубо по приглашениям.

«Едва вернувшись» означало через неделю, потому что надо же привести себя в порядок, обновить гардероб, хоть как-то восполнить потерю шкатулки с драгоценностями. Были в эти дни (собственно, скорее ночи) и другие занятия, еще более приятные.

Одним словом, летала, как на крыльях. Помолодела лет на десять – так говорили все, кто ее видел. Даже институтская, на всю жизнь, подруга Шура Мягкáя, от кого доброго слова не дождешься, это отметила.

Она явилась первая, раньше других гостей и назначенного времени.

– Эк ты, Верейская, цветешь-то! – басом воскликнула Шура, беря ее за плечи после сочного троекратного целования. – Больше сорока не дашь!

И захохотала, когда Лидия Сергеевна встревоженно покосилась в зеркало.

В Смольном Мягкая слыла анфан-терриблем, а позднее вжилась в роль одноименной грубиянки из «Анны Карениной». Но душу имела добрую, отзывчивую. Верейская по Шуре ужасно соскучилась.

– Ты все такая же невозможная, – сказала княгиня, рассмеявшись.

Подруга взяла ее под руку, зашептала. Круглые карие глаза блестели.

– Ну, Лиденция, рассказывай! Пока никто не пришел. О тебе все газеты написали. Героиня!

Сели на козетку подле стеклянной двери. Мажордом, согласно новой американской моде, подал «петушиные хвосты»: смесь вина, коньяка и сельтерской. Как успела выяснить Верейская, в связи с сухим законом подавать спиртное в чистом виде теперь в патриотичных салонах почитается дурным тоном.

Начала было рассказывать – самое интересное: про сумасшедшее плавание через зимнее штормящее море, но Шура нетерпеливо оборвала:

– Эту эпику я в газетах прочла. Ты давай про дело. Что за молодец тебя доставил? Хорош собой? Из каких?

Порозовев, Лидия Сергеевна отвечала – сдержанно:

– Не из каких. Простой сибирский промышленник, такой настоящий русак.

И не выдержала. С кем и поделиться, если не с Шурой.

– Знаешь, Шурочка, я, кажется, полюбила.

Ее лицо из розового стало почти пунцовым, счастливым.

– Та-ак, – протянула подруга и хищно подалась вперед. – *Было?*

– О чем ты?

Взгляд Лидии Сергеевны стал смущенным. Все-таки Шура с годами сделалась совсем sans vergogne*.

– Не придуривайся. Было, да?

Потупилась, кивнула.

– Лихо! – взвизгнула Мягкая, употребив словечко из их девичьего прошлого. – Красавчик, да?

– Скоро сама увидишь.

– А лет ему сколько?

– Тридцать – тридцать пять.

Тут Шура окончательно раззавидовалась, изобразила тревожное сомнение.

– Ох, Верейская, а он часом не до твоих денег добирается?

– Что ты! – торжествующе улыбнулась княгиня. – Эмиль богаче меня. У него где-то там, – она махнула в сторону набережной, – за Байкалом золотые рудники.

Больше пооткровенничать не успели, потому что часы пробили семь раз, и вскоре уже прибыли первые гости. К Верейской полагалось приходить по-английски: вовремя.

---

* Бесстыжая *(фр.)*.

Вечер начался просто триумфально. Сколько было возгласов, поцелуев, прочувствованных речей! Как же она истосковалась в кошмарном Бинце по нормальной жизни, по шуму, по *своим*.

Всё было почти как прежде. Разве что большинство мужчин пришли не в статском (у Верейской принимали просто – не в пиджаках, конечно, но и не во фраках), а в разных военных и полувоенных мундирах.

Скоро гости разделились на группки и кружки, прислуга разносила «хвосты» и закуски. Лидия Сергеевна, как водится, перемещалась по салону, всюду выслушивая приятные слова и ахая по поводу новостей. Но всё чаще поглядывала в сторону прихожей.

Наконец выглянул дворецкий и дал знак – подергал себя за бакенбарду.

Княгиня вспыхнула, но, прежде чем идти встречать, остановилась перед зеркалом. Оглядела себя придирчивым, безжалостным взглядом: морщинки, несносные обвислости. Ах, не надо было надевать платье с открытой шеей! Полно, да любит ли он меня, подумала Лидия Сергеевна, но вспомнила всякое-разное – раскраснелась. Любит, безусловно любит! Возможно, не столько ее, сколько громкий титул – мужчины так падки на погремушки. Но разве это столь уж важно? Титул, имя, порода – это ведь тоже настоящее, свое собственное, не краденое. Не важно, за что! Главное, что любит!

Лакей помогал припозднившемуся гостю снимать бобровую шубу с суконным верхом. Румяный с морозца мужчина, которому очень шла светлая бородка, сунул человеку кожаную папку («Подержи-ка»), поправил шелковый галстук, заколотый алмазом. Острый взгляд пробежал по вешалке, высматривая шинели с генеральскими погонами. Таких было несколько, но нужной не обнаружилось.

Забрал папку, сунул лакею банкноту.

Тот стал отказываться:

– Что вы, у нас не заведено.

Но, рассмотрев цвет бумажки, принял ее с поклоном.

– Скажи-ка, а пришел ли... – начал мужчина, но не закончил вопроса.

Из коридора на него смотрела горничная в воздушной наколке и белейшем кружевной фартуке.

– Ты что, Зина?

Он подошел к девушке.

– Я ничего-с... – Она оглянулась и быстро: – Емельян Иваныч, а Тимофей Тимофеич здоровы? Их ни вчера, ни третьего дня не было.

– Здоров. Что ему, дубине, сделается? Внизу, в автомобиле сидит.

– Он не дубина! – сердито воскликнула девушка. – Он контуженный!

И вдруг исчезла. По коридору, шелестя шелками, шла Верейская.

Стремительно и страстно она припала к груди Базарова – на секунду. Сказала:

– Идите, мой герой! Пусть они на вас посмотрят.

– Ваша кузина с мужем здесь? – спросил он. – Помните, я просил, чтобы вы их непременно позвали.

Он окает, – подумала Лидия Сергеевна. – Странно, что я раньше не обращала внимания. Заметила по контрасту с нашими петербуржцами. Ничего, это даже стильно.

– Конечно, помню. Разве могла я забыть, если вы попросили? Вы хотите поговорить с Вольдемаром о вашем проэкте. Леночка сказала, что приведет своего бирюка, но они опоздают. У него какие-то служебные дела. – Она поправила возлюбленному галстук. – Вы сейчас окажетесь в центре внимания. Не смущайтесь.

– На медведя ходил – и то не смущался, – проворчал сибиряк, следуя за хозяйкой.

– Господа, вот мой спаситель! – громко объявила княгиня с порога. – Емельян Иванович Базаров. Любите и жалуйте. На таких людях вся Русь держится.

«Поцѣлуй украдкой
С милою касаткой.
Лишь на мигъ уединюсь,
Пригублю да не напьюсь»

Под взглядом чуть не сотни глаз он сдержанно поклонился. Лидия Сергеевна вздохнула с облегчением: он был положительно хорош. В осанке и поклоне чувствовалась неброская, истинно русская сила.

Все смотрели на него с улыбкой, ладони исполнили ритуальную, почти беззвучную имитацию рукоплесканья. Тогда вновьприбывший поклонился еще раз, с комической преувеличенностью. Улыбки стали шире. Понравился, он нашим понравился, успокоилась Верейская и слегка подтолкнула Базарова в локоть.

– У меня всё без церемоний. Кто не знаком, представляются сами, попросту. Общайтесь, здесь много очень интересных людей.

Что правда, то правда. Интересных людей в салоне у ее светлости было предостаточно: государственные люди, думцы, несколько видных публицистов. Праздной светской болтовни почти не слышалось.

Емельяну Ивановичу здесь всё было любопытно. Он немного послушал подле кружка генштабистов – говорили о новинке стратегической мысли: совместных действиях с фронтами союзников.

Переместился к журналистам, возмущавшимся бесстыдством цензуры.

Наконец, застрял вблизи камина, где спорили о Страннике (так называли любимца царской семьи, простого мужика, то ли шарлатана, то ли чудотворца, о котором судачила вся Россия).

Всякий раз собеседники приветливо принимали в свой круг спасителя хозяйки, произносили комплименты и тут же о нем забывали, а сам Емельян Иванович в разговоры не вмешивался. Он так и заявлял:

– Не обращайте на меня внимания, господа. Я как Робинзон Крузо после необитаемого острова, истомился по умным людям.

В дискуссии, распалившейся возле камина, участвовали трое: кавалергард, седобородый господин в мундире медицинского генерала и лысый, с шишковатым черепом господин, про которого скользнувшая мимо Верейская шепнула: «Это Зайцевич, тот самый».

Зайцевича, шумно известного депутата крайне правой, Базаров, хоть и сибиряк, конечно, знал. Про генерала (имя которого ему ничего не говорило) скоро догадался, что тот из штата лейб-медиков августейшего семейства. Кавалергард был просто кавалергард, ничего особенного.

Удивительной Емельяну Ивановичу показалась тема разговора.

– Что-то такое я про этого Григория-Странника слышал, – сказал он минут через пять, выйдя из роли слушателя, – однако все же не верится. Чтоб мужик в поддевке снимал и назначал министров? Не может того быть! Газетные небылицы.

– Я газет, простите, не читаю, – отрезал гвардеец. – У меня иные источники. Мой однополчанин, флигель-адъютант, собственными глазами видел на столе у царицы список. Там все министры, члены Государственного Совета, сановники. Поделены на два столбика. Над одним написано «Наши», над другим «Не наши». «Наши» – это кто за Странника. А министров, которые «не наши», немка с должности гонит.

– Министров? Из-за мужика? – усомнился новый человек.

– Что министров! Немка Григорию при всех руку целует! И, болтают, не только руку. Государь давеча георгиевским крестом себя наградил, носит – не снимает, так солдаты знаете, что говорят? Царь с Егорием, а царица с Григорием. Вот до какого позора Русь-матушка докатилась!

– Вранье, не верю, – покачал головой упрямый сибиряк.

– А вы у профессора спросите. Он в Царском часто бывает. И с жуликом этим знаком, имел счастье общаться. Что скажете, ваше превосходительство?

Врач, однако, был менее категоричен.

– Насчет любовных шашней, разумеется, чушь и глупистика. Императрица бесконечно добродетельна. Ей в голову не приходит, что ее благоговейная любовь к Страннику может быть кем-то превратно истолкована. Да и насчет «жулика» – м-м-м, не знаю. Тут всё не так просто. Я осматривал этого субъекта, по просьбе ее величества. Весьма необычный индивид. У него редкая форма эпилепсии, которая иногда бывает у кликуш, у юродивых, у так называемых ясновидящих. То, что эти больные обладают необычными способностями, – установленный, хоть и не изученный наукой факт. Факт также и то, что Странник может останавливать кровотечение у наследника. Я сам был свидетелем.

Седобородый пожал плечами и хотел что-то прибавить, но депутат запальчиво воскликнул:

– Плевать я хотел на чудеса! И на то, какой там любовью любит эту грязную скотину царица, мне тоже плевать! Но чертов Странник служит немецким интересам, все знают!

Судя по выражению лица Емельяна Ивановича, он-то этого не знал и очень заинтересовался.

– Каким же образом?

Зайцевич стукнул по полу тростью. После объявления войны он пошел добровольцем, был комиссован по ранению и ходил в защитном френче – без погон, но с белым крестиком на груди.

– Нудит и царю, и царице, что надо-де с германцем скорей замиряться, иначе пропадет Расея. – Депутат передразнил простонародный говор ненавистного «чудотворца». – Не надобна-де нам эта война, знамения ему на сей счет всякие являются, одно страшней другого. А дура-императрица слушает, всему верит. И государю по ночам, поди, кукует: «Ах, Страннику было видение! Ах, Странник желает положить конец кровопролитию!»

– Насколько мне известно, многие простые люди не понимают, ради чего они должны терпеть лишения и умирать. Этот человек говорит голосом народа, – сказал Базаров, показывая всем видом, что сам-то он с этим голосом ни в коем случае не согласен.

– Вот им, вот! – Зайцевич затряс у собеседников перед носом сложенной дулей. На него заглядывались. – Не будет этого! Москву спалим, как в восемьсот двенадцатом! За Урал отступим, но оружия не сложим! Победим германца если не штыком, то измором, просторами нашими!

– А стоят ли Босфор с Дарданеллами сожженной Москвы? – вздохнул профессор. – Миллионов трупов, калек?

Депутат рубанул воздух:

– Стоят. Тут вопрос вот в чем: быть России великой державой или нет. А страна у нас такая, что если у нее величие отобрать, то и России не останется. Прах один. Мы – не государство, мы идея. Третий Рим, а четвертому не бывать! Если мы не готовы пожертвовать столицей, имуществом, своими жизнями, то нечего в драку лезть. А коли полезли – шалишь, обратного хода нету!

Его слушали во всем салоне. Сочувственно. Недаром Зайцевич слыл одним из сильнейших ораторов Государственной Думы. В его речи чувствовалась решимость и сила.

Даже липовый Емельян Иванович, увлекающаяся натура, на миг ощутил неудержимый порыв засесть за Уралом с дубиной народной войны в руках.

Беда у них тут вот в чем, подумал он. Крайне правые и крайне левые мускулисты, задиристы, а посередине топчутся мягкотелые и дряблые. Раздерут Расею-матушку надвое. Поскорей бы уж...

По лицу героя-прапорщика скользнуло выражение, плохо сочетавшееся с легендой о рубахе-молодце из сибирской глубинки.

Произошло это маленькое, никем не отмеченное превращение вот из-за чего.

Хозяйка, минуту назад вышедшая встречать кого-то в прихожую, вернулась в сопровождении приятной дамы и крепкого лобастого военного с серебряными свитскими аксельбантами.

## ВОТ И ОН!

– Если не ошибаюсь, это генерал Жуковский? – спросил Емельян Иванович. – Очень кстати, мне нужно с ним поговорить.

Подождав, пока военный перемолвится словом с несколькими подошедшими к нему гостями, Базаров поймал взгляд Лидии Сергеевны и показал на зажатую у него под мышкой папку. Княгиня кивнула, поманила сердечного друга пальцем.

Представила:

– Вольдемар, это мой очень близкий и дорогой друг господин Базаров. Ему я обязана тем, что жива и нахожусь здесь.

– Жуковский, Владимир Федорович, – приветливо сказал начальник всей российской разведочно-контрразведочной службы, крепко пожимая руку новому знакомому.

В дверях застыл жандармский ротмистр в очках, не делая попытки войти в гостиную. Он внимательно смотрел на Базарова. Адъютант или порученец, догадался Емельян Иванович. А в подъезде наверняка охрана осталась. Это ничего, это сколько угодно.

– Читал-читал. Впечатлительно. Вас уже попросили написать рапорт о немецком лагере? Подобные сведения нам важны, – говорил генерал. На румяного бородача смотрел с любопытством и симпатией.

– Конечно, написал. Во всех подробностях. С перечислением офицеров, которые были в моем бараке. Но я, ваше превосходительство, хочу поговорить о другом. Тут дело государственного значения...

Сказано было внушительно, с уместным волнением. А как же – с большим человеком разговор.

Отошли в сторону, подальше от чужих ушей.

– Слушаю вас.

Всё шло как по маслу. Оставались пустяки.

– Я переведен в резерв. Буду работать в военно-промышленном комитете, – энергично, напористо стал излагать свой «проэкт» Емельян Иванович. – Решили, что там от меня будет больше пользы. Ведь я по образованию горный инженер, по роду довоенных занятий золотопромышленник. Золота в военное время еще больше нужно. Стратегический металл. И возник у меня вопрос, напрямую касающийся вашего ведомства.

– Так-так, – подбодрил его Жуковский. – Сохранность и транспортировка золота действительно переданы в ведение подведомственного мне Жандармского корпуса.

– А охрана при этом осталась почти такой же, как в мирную пору! – горячо воскликнул Базаров. – Принятые вашим ведомством дополнительные меры я бы назвал косметическими. Во всяком случае, недостаточными. Опасно это, ваше превосходительство. И глупо. Я понимаю, сейчас не время и не место для серьезного разговора, но ежели бы вы согласились взглянуть на досуге... Вот, я тут кратенько набросал свои предложения. Только самое основное.

Он вынул из папки лист плотной бумаги. Жуковский взял.

Замечательно!

Пробежал начало глазами, но почерк был мелкий, трудночитаемый.

«Коснись же легкими перстами
Письма завѣтного, молю!
Я въ благодарность окроплю
Твой ликъ счастливыми слезами!»

– Кажется, что-то дельное. – Его превосходительство повертел бумагу. – Но сразу видно, что вы никогда не служили по казенной части. Чтобы документу дать ход, по правилам нужно напечатать на пишущей машине. Вот здесь поставить число. Подпись разборчиво. Ничего не поделаешь – бюрократия.

– Виноват, – стушевался золотопромышленник. – Это по неопытности. Завтра же с вашего позволения перешлю в канцелярию, в надлежащем виде. Позвольте...

Дело, на девяносто девять процентов завершенное, вдруг застопорилось. Генерал сжал пальцы, не давая вытянуть из них докладную записку.

– Мне, право, неудобно, господин Базаров, но вернуть вам бумагу я не смогу. Правило и давняя привычка: любой документ, попавший мне в руки, у меня же и остается.

– Но как же перепечатка? – улыбнулся сибиряк, еще не веря, что операция срывается.

– Не извольте утруждаться. Сами отлично перепечатаем. Вы только заезжайте к нам на Фурштатскую, поставьте подпись и укажите, как с вами связаться. Так вам будет даже удобней. Ротмистр!

По мановению начальства офицер, дежуривший в дверях, приблизился и забрал листок, спрятал в портфель.

Ласково потрепав автора записки по плечу, Жуковский двинулся к дамам.

– В самом деле, так удобней, – пролепетал сраженный прожектер.

Ему послышался душераздирающий треск и словно бы грохот стеклянных осколков. Это рухнула и разлетелась вдребезги вся затейливо выстроенная конструкция. Подготовка, плавание по холодной Балтике, любовная канитель со старой дурой – всё было напрасно. Другого листка специальной обработки, замечательно фиксирующей отпечатки пальцев, в запасе нет. А хоть бы и был! Поди-ка возьми этакого гуся с давними привычками...

М-да. Нечасто фортуна наносила своему любимцу столь жестокие удары.

Потрясенный и раздавленный, он не сразу обратил внимание на шум, доносившийся из прихожей.

## А МЕЖДУ ТЕМ НАЗРЕВАЛ СКАНДАЛ

Началось с того, что к княгине (она увлеклась беседой с итальянским посланником) приблизился мажордом и вполголоса доложил:

– Княгиня Зарубина... со спутником.

Зарубина входила в число приглашенных, поэтому Лидия Сергеевна не поняла, чем вызван сконфуженный вид служителя.

– Со спутником? Вы хотите сказать, с флигель-адъютантом Зарубиным? Но ведь он в Ставке.

– Нет, ее сиятельство пришли не с супругом, – промямлил Василий, что было на него совсем непохоже.

Впрочем, густой бас, несшийся со стороны коридора, и не мог принадлежать Анатолю Зарубину, человеку светскому в полном смысле этого понятия. (Кто-то там рокотал: «Ишь, шуб-то понавесили! Чай, уезд целый пропитать можно».) Определенно это был не Анатоль.

– Пока ваша светлость отсутствовали, ее сиятельство, извиняюсь за выражение, спутались с *этим*, – так же тихонько пояснил мажордом, но понятней не стало.

Божья корова (таково было заглазное прозвище богомольной Фанни Зарубиной) с кем-то *спуталась*? Невероятно!

А в гостиную уже входила сама Фанни, дама исключительно некрасивой внешности и бурного темперамента. Верейскую поразило, что Зарубина была в простом суконном платье, совсем черном.

– Лидочка, радость какая! – Зарубина распростерла объятья.

Этот порыв тронул Лидию Сергеевну. Не такие уж они были закадычные подруги, чтоб столь шумно радоваться встрече.

– Радость светлая! – продолжила Фанни, целуя хозяйку в лоб, будто покойницу в гробу. – Я привезла его! Он согласился! Лидочка, я привезла к тебе Странника!

Она обернулась и сделала картинный жест в сторону двери.

Верейская моргнула.

В салон медленно, важно шел высокий костлявый мужик – самый натуральный: длинные волосы расчесаны надвое, борода лопатой, в перепоясанной малиновой рубахе, в сапогах бутылками.

Мажордом кинулся ему навстречу, будто воробьиха, пытающаяся оборонить гнездо от кота – да так и застыл.

– Ишь, пузо выставил. Прямо енарал. Пусти-тко.

Невероятный гость ткнул Василия острым пальцем в живот – мажордом попятился.

По комнате прокатился не то скандализованный, не то заинтригованный шелест.

– Это он, он! ...Только его тут не хватало! ...Странник, Странник! – неслось со всех сторон.

Тут-то Верейская наконец и поняла, кто к ней пожаловал. До войны ей доводилось слышать о причуде ее величества, каком-то мужике-кудеснике, однако кто бы мог вообразить, что этот субъект превратится в такое celebrity*? Как-то даже сразу и не сообразишь, хорошо это для раута или ужасно, что Фанни его привела.

Между прочим, Лидия Сергеевна отметила, что Странник одет хоть и по-мужицки, но очень непросто. Рубашка отменного шелка, пояс искусно расшит, сапоги тонкой лакированной кожи.

– Милости прошу, – осторожно молвила хозяйка. – Вас, кажется, величают Григорием Ефимовичем?

---

* Знаменитость *(англ.)*.

Серые глаза беспокойно пробежали по лицам собравшихся и вдруг уставились прямо на Верейскую. Ее будто толкнуло – вот какая сила была в этом взгляде.

– Странный человек я, матушка, – величаво ответил он. – Обыкновенный странный человек. Так меня и зови.

– Чем же вы странный?

Она покосилась на остальных гостей. Все смотрели на мужика – кто с любопытством, кто с отвращением, но смотрели жадно, неотрывно.

– Странный – потому странствую. Хожу-гляжу-поплевываю. К тебе вот зашел. Поглядеть, что вы тут за люди. Какому Богу молитесь. Коли Сатаной смердит – плюну.

Он подбоченился, снова оглядывая залу, и вдруг – ужас, ужас! – взял, да и в самом деле плюнул на паркет. Настоящей слюной!

– Много у тебя дряни, матушка.

– Ну уж это слуга покорный! – вскричал депутат Зайцевич. – Прошу извинить, Лидия Сергеевна, но это без меня!

И вышел, приволакивая хромую ногу. Хозяйке поклонился, на Странника кинул испепеляющий взгляд – и вышел. За ним покинули гостиную еще несколько человек.

«Тьфу на васъ, постылыя,
Души позастылыя!
Словеса окольныя,
Рожи недовольныя!»

Не хорошо, а ужасно, поняла Верейская. Это скандал!

Но, с другой стороны, ушедших было совсем немного. Прочие остались. И потом, скандал скандалу рознь. Завтра о рауте будет говорить весь Петербург...

В общем, ее светлость растерялась.

А Фанни тронула хама за рукав, успокоительно сказала:

– Дрянные все ушли, не выдержали вашего присутствия. Остались одни хорошие. Про хозяйку я вам рассказывала. Лидия Верейская, из немецкого плена бежала.

Кошмарный мужик оскалил коричневые, гнилые зубы.

– Ну поди, шустрая. Благословлю.

И протянул Лидии Сергеевне руку – для поцелуя.

Это уж было too much*. Колебания хозяйки разрешились.

Верейская взяла золотое пенсне, что висело у нее на груди, с намеренной неспешностью рассмотрела через стеклышко волосатую кисть, потом так же демонстративно, как насекомое под микроскопом, изучила физиономию Странника. Поджала губы.

* Чересчур *(англ.)*.

– Я всегда рада видеть тебя, милая Фанни. С кем бы ты ни пришла. Надеюсь, ты не позволишь Григорию Ефимовичу скучать.

Вот это правильная линия поведения! В общение с мужланом не вступать, но не лишать гостей экзотического зрелища.

Она отошла, изобразив для своих страдальческую гримасу: мол, что тут поделаешь?

– Гордая да глупая, – громко сказал у ней за спиной Странник. – А сказано: гордые низринутся. Жалко ее. Потопнет через свою глупость.

Божья корова заискивающим голосом ответила:

– Простите ее, отец. Помолитесь за нее.

Потом произошло нечто из ряда вон выходящее – Верейская поняла по вытянувшимся лицам.

Обернулась.

Экзальтированная идиотка Фанни стояла перед мужиком на коленях и жадно целовала грубую лапу, которой пренебрегла Лидия Сергеевна.

Молодой Корф, кавалергард, с которым некоторое время назад беседовал Эмиль, стуча каблуками, кинулся к дверям.

– Поздравляю, господа! – фыркнул он. – Рюриковна перед мужиком ползает!

За ним (правда, попрощавшись с хозяйкой и сославшись на обстоятельства) ушли еще две пары. На этом исход, слава Богу, вроде бы прекратился.

Прерванные разговоры возобновились, все снова разделились на группки. Однако втихомолку поглядывали на возмутителя спокойствия.

Тот, правда, стал вести себя пристойнее. Оказалось, что с некоторыми из гостей он знаком. С кем-то перекинулся словами, лейб-медику низко поклонился. Лидия Сергеевна начала было успокаиваться – да рано.

С подноса, уставленного «кок-тейлами», Странник взял бокал, понюхал, пригубил – кажется, понравилось. Без остановки, один за другим, осушил четыре. Крякнул, вытер мокрые губы бородой.

Это бы ещё ладно. Но здесь на глаза «странному человеку» попала картина с обнаженной наядой (очень недурной Фрагонар, купленный покойным князем на Парижском салоне девяносто девятого года). Осмотрев стати чудесной нимфы, мужик покрутил головой и со словами «эк, бесстыжая» харкнул на пол – обильней и гуще, чем в первый раз.

– Боже, что делать? – Княгиня жалобно оглянулась на хмурого Базарова – очевидно, Эмиля тоже расстроил скандальный визитер. – Этот субъект губит мне раут!

– Дело поправимое, – симпатично окая, ответил Емельян Иванович.

И направился прямо к Страннику.

– Эй, дядя, ты тут не форси, комедию не ломай. В избе у себя тоже на пол плюешь?

Тон был суровый, взгляд грозный.

Глаза у «дяди» метнули серо-голубое пламя. Преувеличенно переполошившись, он несколько раз поклонился сердитому господину в ноги.

– Прости, барин, прости мужика дремучего. Необычные мы к обчеству. Твоя правда. Сам нагадил – сам подберу.

Да бухнулся, шут, на коленки и давай бородой своей паркет подтирать. К Страннику бросилась княгиня Зарубина, тоже на пол:

– Отец Григорий! Оставьте! Они все волоса вашего не стоят! Дайте я, я!

В общем, кошмар и ужас. Базаров, на что решительный человек, и то отступил, рукой махнул.

Безобразная сцена затягивалась: Странник всё ерзал на карачках, Фанни хватала его за плечи и плакала. Все разговоры в гостиной оборвались.

Тогда вперед вышел Вольдемар Жуковский, отстранил Эмиля.

– Позвольте-ка. С ним по-другому надо... – Встал над юродивым – и тихо: – Ты меня знаешь?

Тот поглядел снизу вверх, весь сжался.

– Кто тебя не знает... Ты Жуковский-енарал, всем врагам гроза.

Шеф жандармов слегка наклонился:

– Смотри, прохиндей, не зарывайся. Я рапорт государю про твои художества подал, знаешь?

– Знаю, батюшка... Клеветы на меня возвели зложелатели мои... Неправды... А ты им поверил... То-то папа на меня возгневался, другу неделю не допущает...

– Государь тебе не «папа»! – Генерал выпятил бульдожью челюсть. – Гляди, Григорий, шугану – до Чукотки лететь будешь. А ну вон отсюда!

Хотел «странный человек» подняться, но ноги его не держали. То ли перетрусил, то ли еще что, но вдруг его начала колотить дрожь. Глаза выкатились из орбит, губы зашлепали, из них полезла пена.

Дико завертев шеей, он замахал руками, будто крыльями, опрокинулся на спину, изогнулся дугой, стал извиваться в корчах.

Закричали дамы, взвыла Зарубина:

– Что вы натворили, изверг! У него припадок!

– А-а-а-а! – сипел Странник. – Страшно! Пустить меня, пустить! Лечу! Лечу-у! Куды лечу?

Жуковский страдальчески сморщился.

– Доктора надо...

Вперед протискивался медицинский генерал.

– Господа, позвольте... У меня всегда с собой саквояж. Инъекцию нужно.

Вышел.

А Странник бился затылком о паркет, отталкивал кого-то невидимого:

– Бес! Беса вижу! Уйди, уйди, не замай!

Лакеи хватали его за плечи.

Быстрым шагом вернулся профессор, в руке блестел шприц.

– Крепче держите.

Почти сразу после укола судороги стали слабее.

На белом лице припадочного появилась благостная улыбка.

– Свет, свет пошел... Благодать... – Он открыл поразительно ясные, наполненные светом глаза и ласково посмотрел вокруг. – Спаси вас Бог, милые, спасибо, хорошие...

Больного посадили на стул. Зарубина вытирала ему губы, что-то нашептывала, но Странник отыскал взглядом Жуковского.

– Вижу твою душу, енарал, – сказал Григорий звонким, не таким, как прежде, голосом. – Сильненькая, одним куском. Большой бес тебе ништо. Малого беса бойся. Слышь, енарал? Малый бес тебя сшибет! Сторожись!

Генерал на мужика уже не гневался. Поглядывал с жалостью и удивлением.

– Да ты, брат, психический. Тебя не в Чукотку, тебя в лечебницу надо. Господа, я велю отвезти его домой. Ротмистр!

Рядом, тут как тут, вырос адъютант.

– Позовите двоих из охраны. Пусть этого отвезут на автомобиле сопровождения. Он живет… – Жуковский потер лоб, вспоминая адрес.

– На Гороховой, я знаю, – кивнул офицер. – Сию минуту, ваше превосходительство.

## ВСЁ ПРОПАЛО

Фон Теофельс спустился вместе с адъютантом. Не для чего-нибудь, а просто – остудить разгоряченный лоб.

От разочарования, от ощущения собственного бессилия дрожали руки и путались мысли. Хуже всего был привкус во рту – отвратительная, ненавистная горечь поражения.

Неужто полное фиаско?

Вдоль набережной под мягким вечерним снежком выстроилась вереница машин (люди круга княгини Верейской перестали ездить в конных экипажах, едва августейшее семейство пересело из карет в «делоне-бельвили»).

Ротмистр подбежал к двум авто, «мерседесу» и полугрузовому «дитриху», стоявшим у самого подъезда, прямо на тротуаре. Там сидела охрана, изрядная, но Зеппа она не заинтересовала. Покушаться на жизнь генерала Жуковского, как он сам объяснил начальству, смысла не имело.

Патриотичный «руссобалт» славного сибиряка Базарова сиял лакированными боками. Когда Зепп приблизился, из кабины выскочила женская фигура. Пригнувшись, просеменила мимо. Это была горничная Зина.

– Что, дон Жуан, заморочил-заболтал бедную девушку? – рассеянно заметил Зепп шоферу, закуривая.

– Что такой «тошуан»? Что такой «саморочил»? – спросил неначитанный и неспособный к языкам Тимо. – Я не болтал. Я молчал. А девушка хороший. Шалко.

– Меня бы лучше пожалел. – Майор тяжко вздохнул. – Дурачина я, простофиля. Не сумел взять выкупа с рыбки.

Верный оруженосец немного подумал.

– «Дурачина» знаю. «Рыбка» знаю. Bedeutung* не понимал.

Болвану было строго-настрого заказано вставлять в речь немецкие слова, но сил браниться у Теофельса сейчас не было.

– Что русскому хорошо, то немцу смерть! – Он скрипнул зубами. – Бедный конь в поле пал... Черт, я не могу вернуться с пустыми руками!

– Если «не могу», то не надо вернуться, – с неожиданной мудростью заметил помощник. – Мошно быть здесь еще.

И посмотрел в зеркало – туда, куда убежала Зина.

Майор закашлялся дымом, сгорбился.

– Нет. Всё пропало...

У подъезда стало шумно. Двое вели под руки Странника, еще один нес сзади богатую шубу и бобровую шапку.

– Всё маме расскажу! – кричал божий человек, грозя кому-то, оставшемуся сзади. – Думаете, слопали Григория Ефимова? Натекося, выкусите! По-моему будет! Вы кто все? Букахи-таракахи! А во мне Сила! Я через нее и ночью зарю вижу! Во тьме кромешной, и в той озаряюся!

---

* Смысл *(нем.)*.

Прохожие останавливались, глазели. Кто-то узнал, зашумели: «Странник! Странник!»

Буяна кое-как усадили в «дитрих». Пустили облако пахучего дыма, помчали на большой скорости. Машине сопровождения надо было отвезти припадочного и вернуться, пока начальник не собрался уезжать.

А Теофельс внезапно стукнул кулаком по лобовому стеклу, сильно.

– Это я не понимал, – сказал Тимо, неодобрительно глядя на зазмеившиеся трещины. – Сачем?

– Затем. – Зепп подул на ушибленный кулак. – Хоть я не божий человек, но и у меня бывают озарения.

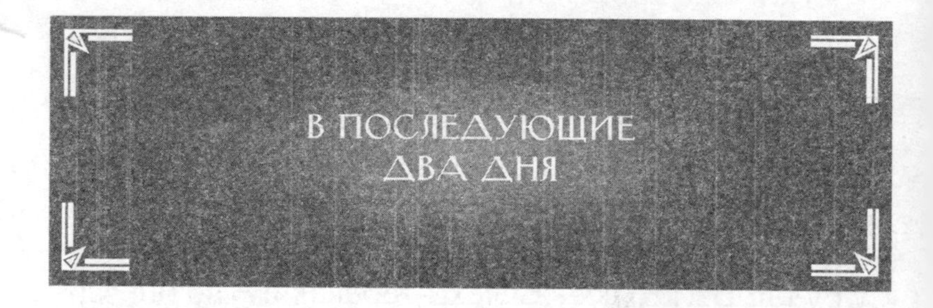

## В ПОСЛЕДУЮЩИЕ ДВА ДНЯ

В последующие два дня майор провел большую работу по сбору, сортировке и анализу информации.

Со сбором помогли сотрудники петроградской резидентуры, остальное – сам.

Два слова о резидентуре.

Германскую разведывательную службу в канун великой войны недаром считали лучшей в мире. Никогда еще не существовало столь слаженного, столь рационально устроенного механизма по снабжению генерального штаба сведениями о будущем противнике. Особенным новшеством была подготовка резервной сети на время войны – в мирный период эта структура почти не использовалась. Во всяком случае, ей не давалось рискованных заданий, чреватых обнаружением. В установленные сроки специальные инспекторы из центра проверяли состояние сети, обновляли инструкции.

Сотрудники делились по профилю предстоящей работы. Имелись агенты по мобилизации и передвижению войск; по военной технике; по диверсионной деятельности; по вербовке; по распространению слухов. Отдельное место занимали «агенты влияния», которые не всегда знали, кто и в чьих интересах их использует. К этим относились с особенным обережением.

В момент, когда война стала неизбежной, вся резервная резидентура по установленному сигналу (закодированное сообщение во всероссийской газете) перешла в боевой режим – то есть сменила место проживания, а в некоторых случаях и имена.

Вся эта отлично работающая, успевшая набраться опыта организация была в распоряжении фон Теофельса. Довольно было дать знать, что́ именно его интересует. Сведения по цепочке начали поступать буквально через несколько часов.

Их было много, сведений. Даже слишком. Информацией о занимающем майора объекте петроградский воздух был перенасыщен. Ни о ком столько не болтали, не сплетничали и не злословили, как о Страннике. Сначала Зепп просто утонул в потоке разномастной, часто противоречивой информации. Но потом применил очень простую и действенную методику, которая многое прояснила.

К Страннику в России относились либо очень хорошо, с экстатическим восторгом – либо очень плохо, с ненавистью и омерзением. Преобладало второе мнение. Нейтрального отношения к этому человеку не было ни у кого.

Теофельс сделал вот что.

Поделил сведения на две папки: от сторонников – в одну, от противников – в другую. Всё, что не подтверждалось обеими партиями, выкидывал. Отбирал лишь то, в чем враги и поклонники «странного человека» сходились.

Таким образом в мусор полетели из папки № 1: рассказы о чудесах и знамениях, о новом пророке-избавителе, о защитнике обиженных. Папка № 2 пострадала больше. Из нее пришлось выкинуть сочные истории о разврате и диком пьянстве, о царской постели, о назначении и увольнении министров, об огромных взятках и немецком генштабе (уж это точно было неправдой – Зепп бы знал).

С отсеченными экстремами материал получился менее живописный, но все равно впечатляющий.

Итак, что из биографии и жизненных обстоятельств Странника можно было считать более или менее установленным?

Возраст – около пятидесяти.

Родом из зауральской деревни.

В двадцать восемь лет резко поменял образ жизни и «пошел по Руси», то есть, собственно, стал Странником. Исходил все знаменитые обители и святые места, несколько раз побывал в Палестине.

Лет десять назад впервые замечен в Царском Селе, куда его привели какие-то высокие покровители.

Поверить в то, что царица, выросшая в Англии при дворе своей бабки королевы Виктории, могла попасть под влияние примитивного шарлатана, невозможно. Все, даже ненавистники Григория, признавали, что какая-то целительская сила у него есть и спасать царевича от приступов кровотечения он действительно может. Просто почитатели говорили о святости и чуде, недоброжелатели – о гипнозе. Сам Зепп, человек сугубо прагматического склада, был здесь склонен встать на вторую точку зрения. Впрочем, причина беспредельного доверия царицы к сибирскому мужику для дела значения не имела. Главное, что влиятельность Странника можно было считать фактом. Хорошо бы только определить ее истинные размеры.

К исходу второго дня Теофельс располагал всеми данными, необходимыми для действий. В связи с крахом операции «Ее светлость» пришлось разработать новый сценарий. Условное название «Его святость». Modus operandi импровизационный.

## ЧУДО НА ГОРОХОВОЙ

Объект проживал на Гороховой, во флигеле дома 64, расположенном во дворе, вход с улицы через арку. Адрес этот был известен всему городу. Каждый день с утра перед подворотней собиралась и ждала толпа: попрошайки в расчете на милостыню, простаки в надежде на чудеса, зеваки просто так, из любопытства.

Посторонним во двор хода не было. На страже стояли дворник с швейцаром и агент Охранного отделения. Еще трое шпиков дежурили в парадной.

Для столь знаменитой персоны проживание было так себе: и дом не ахти, и район захудалый. Зато близко до Царскосельского вокзала – удобно ездить во дворец.

Утром по вторникам, докладывала резидентура, Странник в сопровождении охранника ездит мыться в баню, на соседнюю улицу. Зепп собирался сначала подкатиться к святому человеку прямо в мыльне – так сказать, в натуральном виде, но выяснилось, что Григорий берет отдельный кабинет, куда не сунешься.

Ну и не надо. На миру еще лучше выйдет.

Исходную позицию он занял перед аркой. Приехал на автомобиле, вышел, закурил. Одет был в английское пальто, кепи, через плечо перекинул белый шарф. Таких любопытствующих, «из общества», среди толпы тоже хватало.

Пока дожидался, наслушался всякого-разного.

Баба одна, молодая, смазливая, рассказывала товарке:

– ...Как он на меня глазищами-то зыркнет – обмерла вся. И отсюда вот, из самой утробы, горячее, сладкое. Истомно!

Пришла за новой порцией эротического переживания, констатировал Зепп и прислушался к разговору между двумя мужчинами – старичком при котомке и городским парнем.

– А я вот интересуюся, – говорил первый, – правда ли, что у Григорь Ефимыча вкруг головы как бы некое сияние?

– У Гришки-то? Если с похмелюги – точно, так вся рожа и полыхает, – скалился парень.

– А сказывают, творит он исцеления чудесные?

– Брехня.

Тетка из толпы попрекнула скептика:

– Зачем вы на святого человека наговариваете? Я сама видела, как он слепому зрение вернул!

Заругались было, но, как это всегда бывает, нашелся и примиритель. Пожилой приказчик рассудительно сказал:

– Чего зря собачитесь? Сейчас сами увидим. Вон калеки дожидаются.

Калеки дожидались в стороне, толпа держалась от них на почтительном отдалении.

На тележке сидел безногий. Замотанная в платок девочка держала за руку слепого. Еще один – длинный, тощий, с идиотически отвисшей челюстью – переминался с ноги на ногу, тряс головой. Одет бедолага был в замызганную солдатскую шинель.

– А этот что? – спросили в толпе.

– Малахольный. Ни бельмеса не понимает, только мычит. Не иначе, газами травленный.

Чистая публика, среди которой курил Зепп, тоже перебрасывалась комментариями, но здесь тон был исключительно насмешливый. На Странника приехали поглазеть, как на курьез, чтоб было чем развлечь знакомых.

– Видел я этого прохвоста в одном почтенном доме, – попыхивая папиросой, внес свою лепту и

Зепп. – Право, потеха! Где же он? Мне говорили, не позже десяти должен быть. Я долго не могу, в клуб нужно.

– Сейчас явится, – сказал господин, живший неподалеку и частенько приходивший полюбоваться, как он это называл, на «явление Хлыста народу». (Про Странника ходили слухи, что он из секты хлыстов, однако майор эту информацию отверг как одностороннюю, сведениями из папки-1 не подтвержденную.)

– Вон он, соколик. Просветленный после парилки. Лицезрейте, наслаждайтесь.

Люди на улице притихли.

Странник шел быстрым, размашистым шагом человека, привыкшего преодолевать на своих двоих большие расстояния. За ним поспевал быстроглазый ферт в коротком серо-зеленом пальто, держа руки в карманах.

Завидев толпу, святой старец сунул банный узелок под мышку и троекратно широко всех перекрестил. Промытая, расчесанная, смазанная маслом борода поблескивала, на ней сверкали снежинки.

Первыми к Страннику кинулись просители. Кто-то совал бумажки с ходатайством, кто-то пытался объяснить словами, иные просто тянули руку за подаянием.

Каждому, кто просил милостыню, Григорий сунул денег – кому монету, а кому и бумажку. Доставал из кармана, не глядя, и приговаривал: «Добрые люди мне, а я вам». Тем, кто совал записки, важно сказал: «Секлетарю мому давайте, не мне». Просителей устных обглядел своим шустрым взглядом:

– Вот ты, ты и ты, глазастая, зайдите после. Послушаю. Скажите – Странник-де дозволил. А прочие – кыш, пустое.

Прошел дальше.

Из толпы крикнули:

– Исцелять нынче будешь или как?

Чудотворец остановился около калек, пытливо посмотрел.

– Верни батюшке глазыньки, святой человек, – выскочила вперед девочка, потянула за собой слепого.

– Сколько раз говорено: не я целю, Господь. Молитесь, и дастся вам. Ищите и обрящете.

Безногий сдернул картуз, подкатился.

– А ты благослови. Авось получится.

Наклонился к нему Странник, вздохнул:

– Чудак ты. Ноги у тебя все одно взад не вырастут. Кабы они у тебя сухие были – друго дело. И глаза тож. Коли их нету, как их целить-то?

Подошедший, чтоб лучше слышать, Зепп громко сказал, обернувшись к мимолетным знакомым:

– Да он матерьялист, господа.

Те радостно засмеялись.

Странник обернулся. Узнал, насупился.

– Пустите, православные. Пойду я.

– Хоть малахольного пожалей. Скажи над ним молитовку, – попросила сердобольная тетка (агент петроградской резидентуры Ингеборг Танненбойм).

И не дала ему уйти – схватила за край шубы.

– У него ножки-глазыньки есть. Может, отпустит горемыку хвороба?

Делать нечего. Опасливо косясь на Зеппа, Странник наскоро перекрестил убогого.

– Помогай те Господь. Был убогой, стань у Бога. Был кривой, стань прямой. Был хилой, стань с силой. Аминь.

По толпе прокатился общий вздох. Кто-то ахнул.

Жертву войны перестало трясти. Инвалид покачнулся, расправил плечи. Его слюнявый рот закрылся, глаза заморгали и приобрели осмысленное выражение. Словно просыпаясь, он провел рукой по лицу и неловко перекрестился.

Болван, скрипнул зубами Зепп. Не слева направо – справа налево!

Но людям так показалось еще убедительней.

«Ты вставай, иди, добрый молодецъ!
Богъ посłалъ тебѣ исцѣленіе»

– Оссподи, в ум возвернулся! – первым завопил давешний старичок. – Рука Христово знамение вспоминает! Вот так, милой, вот так!

Он бойко подскочил к долговязому страдальцу, взял за кисть и показал, как надо креститься:

– В чело, в пуп, в десное плеченцо, после в шуйное.

– Жуйное, – тупо повторил исцеленный и на сей раз произвел священную манипуляцию без ошибки.

– Господа, подействовало! Невероятно! – воскликнул кто-то. – Позвольте, господа, пропустите! Я из газеты «Копейка»!

– А мне штой-то сумнительно, – прогудел кто-то еще, но скептический глас остался в одиночестве. Всем хотелось быть свидетелями чуда.

Излечившийся хлопал глазами, озираясь.

– Где я есть? Я слишал! Я говориль!

Его пожалели:

– Плохо говорит, болезный. Ан всё лучше, чем телком мычать.

– Как тебя звать, милай? – спросил Странник.

Долговязый повалился на колени, ткнулся лбом в асфальт:

– Тымоша. Спасибо большой, святой отец. Ты спасаль мой плохой сдоровье.

А тут и магний полыхнул – это расстарался репортер. Странник приосанился, простер над склоненным Тимошей длань:

– Ну-тко, ишо раз. Передом повернуся.

Воздел очи горе, левую руку возложил себе на грудь. Вспышка мигнула еще раз.

Присутствие прессы (ее представлял Einflußagent* третьего разряда Шибалов) подействовало на публику магически. Давно установлено: для людей всякое событие становится вдесятеро значительней, если освещается прессой.

Зепп протолкался вперед, лицо его было искажено сильными чувствами. Сорвал кепи, швырнул оземь.

– Виноват я перед вами, отче! Сильно виноват! Обидел вчера, простите!

И тоже бухнулся на колени.

– Эка барина пробрало, – сказали сзади.

– Простите, святой чудотворец, – всхлипнул Зепп. – Слеп я был. Ныне прозрел.

Странник смотрел на него не без опаски, но понемногу оттаивал. Сцена ему была по сердцу.

– Ты кто будешь? Князь, мильонщик?

– Золотопромышленник я, Базаров.

– Вона, – сказал Григорий остальным. – Слыхали? Золотопромышленник! Ну подымись ко мне, мил че-

* Агент влияния *(нем.)*.

ловек. Расскажи, как на душе свербит. Послушаю. Вижу я тя наскрозь. На брюхе шелк, а в душе-то щелк. Так что ли?

– Истинно так, прозорливец.

Майор поймал руку кудесника, чмокнул.

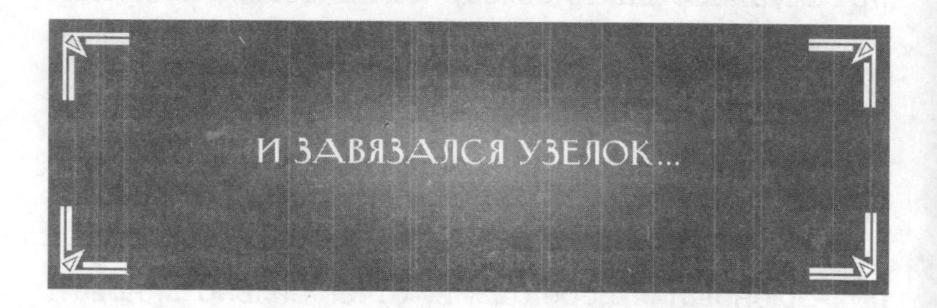


Поговорили. Излил «золотопромышленник» святому человеку свою мятущуюся душу. По ходу дела манеру говорить пришлось смодифицировать. Одно дело на публике, другое с глазу на глаз. Вблизи, да наедине, Странник показался Зеппу куда как не глуп. Грубой лестью можно было все дело испортить. Поэтому говорил без воплей, без «святых чудотворцев» с «прозорливцами», а искренним тоном, доверительно.

Пустота экзистенции одолела Емельяна Базарова. Когда всё у тебя есть и всего, чего желал, добился, вдруг перестаешь понимать, на что оно нужно –

деньги, удача, самоё жизнь. И пить пробовал, и на войне побывал, даже кокаин нюхал – не отпускает. До того, самоед, дошел, что больным и бедным завидует: им есть о чем мечтать и Бога просить. А он, грех сказать, и в Бога-то не очень. Но душу не пропьешь, не обдуришь, она света и чуда алчет. И вот оно чудо, вот он свет! Тот свет, что из глаз ваших излился, когда вы на идиота этого воззрели.

Это, так сказать, в коротком пересказе, а живописал Зепп свои высокие переживания долго. Пару раз прерывался на скупые мужские слезы.

Странник поил его чаем, кивал, подперев щеку и пригорюнившись.

Сидели на кухне. Очевидно, это было главное место в доме – по деревенской привычке.

Квартира у всероссийской знаменитости была какая-то не шибко знаменитая. Скудно обставленная, неряшливая, содержалась в беспорядке. Фон Теофельс даже упал духом: не может человек, якобы снимающий министров, жить на манер мещанчика средней руки. Сразу вспомнился и страх, с которым Странник глядел на сердитого Жуковского. Оно конечно, шеф жандармов, но ведь даже не министр, а всего лишь генерал...

Во всех этих несуразностях и несостыковках еще предстояло разбираться.

Краем глаза Зепп всё посматривал по сторонам, пытаясь понять, кто тут кто.

Всякого люда, почти сплошь женской принадлежности, в квартире вилось видимо-невидимо. По коридору шныряли бабки, тетки, молодухи – все по-монашьи в черном, в низко повязанных платках. Страннику низко кланялись, на нового человека глядели искоса, но без большого любопытства. Всяких посетителей перевидали.

Распоряжалась женщина средних лет, со строгим лицом. Судя по речи, из образованных. Приживалки и прислужницы слушались ее беспрекословно, называли Марьюшкой или Марьей Прокофьевной. Экономка, определил Зепп. Из поклонниц, но не великосветских, кто за модой гонится, а из настоящих.

В кухне на столе пыхтел большой купеческий самовар с медалями. Иногда Странник сам раздувал угли мягким сапогом.

Скатерть с красными вышитыми петухами – и тут же веджвудский чайный сервиз. Резные ореховые стулья – и грубо сколоченная скамья. На стене старинного письма икона в пышном серебряном окладе – и копеечные бумажные образки. И всё здесь было так. Дорогое и дешевое, красивое и безобразное вперемешку.

В углу, например, зачем-то лежал свернутый полосатый матрас, на нем непонятная подушка с пришитой бечевкой.

На самом видном месте – телефонный аппарат, новейшей конструкции. Но перед ним, неясно с какой стати, деревянная подставка, какие бывают у чистильщиков обуви.

В общем, сплошные шарады.

Утерев слезы, высморкавшись, Зепп сказал:

– Вот, всю свою тугу на вас излил, и будто душой оттаял. Словно ангел по сердцу пролетел.

– Неистинно говоришь, – поправил «странный человек». – Ангел по душе летать не могет. Потому ангел и душа – одно. Тело – бес, душа – ангел. Только люди-дураки ей воли не дают.

Пора было, однако, и честь знать. Для первого раза и так сделано достаточно.

– Спасибо вам, святой вы человек. – Зепп поднялся. – Это оставляю. На милостыню убогим.

Положил на стол изрядный пук кредиток. Ну-ка, что угодник? Сейчас выясним, в какой папке правда – первой или второй. Бескорыстник или хапуга?

Странник на деньги глянул рассеянно, кивнул.

– Ин правильно. У тебя, Емеля, денег много, а есть которые куска хлеба не видят.

Непонятно. То ли действительно равнодушен, то ли кинется пересчитывать, когда толстосум отбудет.

Надо было проверить еще одно.

– Светлая у вас душа, Григорий Ефимович. Солдатику этому бедному приют дали, не выгнали. А ведь чужой человек.

Фон Теофельс видел, что бабы повели Тимо в какую-то каморку кормить, но уверен не был – оставят или нет. Свой глаз в квартире объекта был бы очень кстати.

– Пускай его, – махнул Странник. – У меня тута всякой живности много. А то брешут разные – не исцелитель-де я, а мазурик. Натекось, полюбуйтеся. Выкусили? Был инвалид, а ныне в разуме... И ты ко мне захаживай, Емеля. Запросто. Полюбился ты мне, открытая душа.

– Непременно приду, – поклонился Зепп. – Вы, отец святой, для меня теперь один свет в окошке.

# ВИДЕНИЕ МАЛОЕ, ПРЕДВЕСТНОЕ

С утра в груди стеснение, как перед грозой. И сладко и страшно, и маетно. К великой тряске это.

Тут положено быть малому видению, вроде зарницы перед большой молоньей.

Повело куда-то, не разбирая пути. Кыш-кыш, наседки, с-под ног!

Те знают, попрятались.

В колидор потянуло, вот куда.

Дверь там, которая на лестницу, дымится вся, туманится. Зыбкая.

Придет скоро кто-то. И уж ясно, кто.

Бес. Росточком нешибкий, но острозубый. Морда прельстительная, с улыбочкой. Роги лаковы.

Встречать такого лучше на кортках, чтоб глаза в глаза.

Присел, пальцы наперед выставил – козу рогатую.

«Чуръ меня! Изыди, бѣсъ!
Ты пошто незванный влѣзъ?
Не размахивай хвостомъ,
Осѣню тебя крестомъ!»

Поди, поди, подманись. Молитовкой тя привечу, по рыльцу вострому, да по копытцам, да по брюхонцу несытому.

Явился не запылился.

Трень-трень-трень.

## ПОД ЧАЕК И БЕСЕДУШКА

Несколько дней Зепп, как на службу, таскался в квартиру на Гороховой, а всё не мог решить, сколько в Григории настоящей странности, а сколько актерства. Мужик был хитрый, неочевидный. Простодушие и доверчивость сочетались в Страннике с поразительным знанием людей. И мысли обо всем на свете у него, как у любого пророка, вышедшего из народной гущи, были не заемные, а собственные.

Хоть фон Теофельс в веселую минуту и называл себя универсальным антропологом, но такая особь ему попалась впервые.

Разговоры со «странным человеком» он, вернувшись к себе, анализировал и самое примечательное даже записывал. Тут была некая загадка.

Про Силу (так Григорий именовал свой мистический дар, в который незыблемо верил) Зепп слушал без большого внимания. Чудес майор не признавал. Его жизненный опыт свидетельствовал, что за каждым сверхъестественным явлением кроется какое-нибудь надувательство. Однако самомнение у темного, полуграмотного мужика было воистину удивительное.

Он говорил про себя (в тетрадке для отчета записано): «Человечишко-то я репейный. Дрянь человечишко. Кабы не Сила, тьфу на меня, не жалко. Но Бог, Ему видней. Положил на плечи мои корявые тягу – тащи, сыне. Расея на мне, царство всё, с приплодом вперед на три возраста. Страшно, коленки гнутся. И чую – не сдюжить, а куды денешься – плачу да тащу. Под ноги мне коряги суют, каменюками кидают, калом мерзким швыряют. Дураки! Упаду – им всем каюк». Записано слово в слово, по памяти, а память майора фон Теофельса сохраняла человеческий голос не хуже граммофонного диска.

При подобной мегаломании Странник не чурался мелкого трюкачества. С «золотопромышленником Базаровым», которого считал за своего, комедии не ломал. А вот если появлялся кто-нибудь новый, важный, особенно надутые барыньки, начинался целый спектакль.

Дорогих «гостюшек» усаживали потрапезничать чем Бог послал. В середину стола ставили большую супницу с щами или ухой, Странник клал перед собой буханку ситного и развлекался: отламывал кусок, макал в жижу и собственноручно запихивал каждому в рот, нарочно капая жиром на шелк да чесучу. Это у него называлось «преломить хлебы». Гости покорно всё сносили – они пришли, заранее готовые к чудачествам. Любил Григорий подпустить чопорной даме соленое словцо, поинтересоваться, давно ль блудному греху предавалась или еще что-нибудь этакое. Самых замороженных звал с собой в баньку, душу с телом отмыть. Если фраппированная дама после такого приглашения в ужасе убегала, долго хохотал, тряся бородой.

Занятно было наблюдать, с каким почтением относится Странник к телефонному аппарату. Сам он никогда никому не звонил и трубки не снимал – за это отвечала экономка. Но если она просила Григория поговорить, он исполнял целый ритуал.

Разглаживал надвое волосы, оправлял бороду, обязательно плевал на правую ладонь. Разъяснилась и подставка перед аппаратом – на нее Странник ставил ногу. Свободной рукой упирался в бок. И лишь приняв эту гордую позу, кричал в трубку: «Ктойто?» – хоть, конечно, уже знал от Марьи Прокофьевны, с кем предстоит разговор.

Беседы просветленного золотопромышленника с Учителем всегда проходили под чаек. Спиртного при Зеппе «странный человек» не пил. Таким образом, слухи о его беспробудном пьянстве, похоже, следовало отнести к разряду «клевет», на которые Григорий постоянно жаловался. Но и трезвенником он не был. Внедренный в квартиру Тимо, которого здешние тетки полюбили за молчаливость и исполнительность, докладывал, что по вечерам объект всегда уезжает и возвращается очень поздно, нередко «зовсем besoffen*». Наутро, однако, никаких признаков похмелья Зепп в хозяине не обнаруживал. Странник сидел благостный, рассудительный, мог за раз выдуть чаю стаканов десять. Пришлось мобилизовать свои почки и майору. Никогда еще он не поглощал сей пото- и мочегонный напиток в таких страшных количествах. Но чего не сделаешь ради дела и фатерлянда.

Любопытно, что, в отличие от всех русских, Григорий пил чай без сахара. Он вообще не упо-

* Пьяный *(нем.)*.

«Подъ хорошій самоваръ
и бесѣда хороша,
Полыхнетъ по сердцу жаръ,
Разыграется душа»

треблял сладкого, мясного, молочного, говоря, что это грех.

Представления о греховности у сибирского вероучителя были своеобразные, сильно отличающиеся от канонических.

Как понял майор (не очень-то интересовавшийся этими материями), в основе Григорьевой доктрины лежало понятие всеочищающей и всеизвиняющей любви. Мне люди все родные, часто повторял он. Коли некое деяние сотворено от любви, оно уже благо. А если по злобе или голому расчету, это бесовщина и грех. Ум глуп и должон сердца слушать, яко дитя матерь свою, говорил Странник.

Несмотря на то что он любил подразнить дамочек расспросами о «блудном грехе», сам Григорий плотскую любовь большим грехом не считал – если она любовь, а не «насильничанье». «После утехи с бабой довольно малой молитвы. Простит, не осердится Господь. Он легкий грех и прощает легко, особливо ежели грех через любовь. Мне радость, бабе сладко – ин и ладно, какой Богу от того убыток?» Из этого следовало, что сведения из зложелательской папки о развратности «старца» можно было счесть хоть и преувеличенными, но достоверными.

Однако все эти глупости для Зеппа важности не представляли. При малейшей возможности он старался повернуть разговор на царское семейство. Не для того чтобы выяснить интимные подробности августейшего быта. Нужно было уяснить, до какой именно степени прислушиваются там к Страннику.

Императора с императрицей Григорий звал «папой» и «мамой». Так было заведено в самом ближнем, околосемейном кругу их величеств в память о каком-то юродивом Мите, который одно время кормился при сердобольной Александре Федоровне. Митя был гугнявый, почти безъязычный, выговаривал только эти два слова, показывая на царя и царицу.

Иногда Странник еще звал государыню «Саня» и уверял, что так же в хорошие минуты обращается к ней царь. Не сразу Зепп догадался, что это, должно быть, английское Sunny – как называла свою любимую внучку королева Виктория. Ну, Саня так Саня.

«Саня хорошая, добрая, – нахваливал Александру Федоровну «странный человек». – Ума вовсе нету, сердце одно. Меня слушает. Верит. Я для ней и Бог, и Расея. Она знаешь как говорит? Часто повторяет: умом, говорит, Расею не поймешь и аршином не померишь. Верить, говорит, в нее надо, не то к лешему пропадешь. А папа другой коленкор. Ему ум мешает. Трудно, брат, царем быть. Беднай он, никому не верит. Круг него брехуны, алкальщики. Тянут за штаны: «Сюды иди, нет туды! Мне дай, нет мне! Я знаю, как надоть! Нет, я!» Кто хошь сробеет. Одно спасение – Бог. Но Бог с вышними говорить не любит, Он больше через нижних, навродь меня. А я уж передам, обскажу, как сумею. Только меня он, папа-то, будто через стекло слушает. Когда верит, когда нет. О прошлый год, как царевича австрийского убили, я – к папе. Виденье у меня было, сонное. Быдто они с мамой в Зимнем дворце на кухне кашут варят, царскую, сладкую, с малиновым вареньем. Пышна каша, из котла поперла, да на площадь, да по Невскому валит, к вокзалу. Вся красная от малины-ягоды. Прет – не остановишь, ажно столбы сворачивает. А папа знай поварешкой вертит, крупы подсыпает, и мама тут же. Рассказал я ему сон, а папа мне: к чему, мол, видение? Отвечаю: «Кашу красную заваришь – сто лет Расее не расхлебать. Крови бойся. Сам потопнешь и всех людей своих, с внуками-правнуками». Понял он, про что я. Об ту пору круг него енаралы ходют, усищи распушили, воевать хочут. Ну, папа на меня и осерчал. С чужого голоса-де поёшь, видеть тя не жалаю. Еле мама потом за меня упросила».

Вот про это Теофельс слушал очень внимательно, наматывал на ус. Интересно, очень интересно! Пригодится в будущем.

Однако в нынешний момент, в смысле полученного задания, ситуация складывалась крайне неудачно.

После прошлогодней опалы Странник с помощью «Сани» сумел вернуть себе высочайшее расположение. Влияние его даже усилилось, ибо царю Николаю в годину испытаний Божий посредник становился все нужней. До недавнего времени Григорий ездил в Царское Село раз, а то и два в неделю. Телефонной станции было велено соединять его квартиру с дворцом и днем, и ночью, без малейшего промедления.

Но три недели назад генерал Жуковский, призванный блить за порядком в империи, подал государю рапорт о тех самых шалостях, которые «странный человек» за большой грех не считал. С полицейскими протоколами, свидетельскими показаниями и, что хуже всего, с приложением отчетов из всех губерний о слухах, роняющих престиж власти.

С того самого дня обитателю Гороховской квартиры не удавалось ни дозвониться во дворец, ни послать телеграмму в Ставку.

«Мама ко мне посылала, – горестно вздыхал Странник. – У мало́го, у царевича, втору неделю лихоманка. Держит, не отпущает. Дохтуры ничего не могут, а я бы враз снял. Но папа не велел. Осерчал очень. Жуковский-енарал у него в большом доверии. Вот послали черти мне того Жуковского в наказание».

И нам тоже, думал Зепп, сочувственно кивая.

Попробовал закинуть удочку, осторожненько:

– Коли Жуковский от чертей прислан, хорошо ли его на такой важной должности держать? Объяснили бы вы, отче, ее величеству. Раз уж ее сердце вам открыто...

Ответ был неожиданным:

– Для меня Жуковский плох, а для Расеи хорош. Пущай сидит. А кромь того, не станет теперь папа мово совета слушать, что я ни скажи... И мама не передаст.

Вот это уже больше похоже на правду, мысленно усмехнулся Теофельс. Зелен виноград.

Однако проклятая опала была очень некстати.

Благодушие объекта по отношению к Жуковскому тоже не радовало. Тоже еще выискался патриот, непротивленец – «для меня плох, для Расеи хорош».

Но тут как раз имелась одна идейка. Нужно было только дождаться момента.

## НАКОНЕЦ МОМЕНТ НАСТАЛ...

В подворотне жались шпики, прятались от снега пополам с дождем. Господину Базарову поклонились – признали. Он поздоровался, угостил молодцов душистыми папиросами. Одну сунул себе в рот, но зажигать пока не стал.

Раскурил во дворе, остановившись возле Тимо, который выбивал на веревке персидский ковер, подарок Страннику от некоей великой княгини.

– Как? – тихо, коротко спросил Зепп.

Помощник, не прерывая своего ритмичного занятия, проскрипел:

– Карашо. Зубы стучит. Рука трясет. Будет... как сказать... Anfall.

– Эх ты, контуженный. Не Anfall, а «при-па-док». Значит, работаем.

Отлично. Наконец-то можно от болтовни переходить к действию.

Соколом он взлетел на третий этаж. У подъездного шпика спросил:

– Что-то нынче просителей не видно?

Тот пожал плечами. Не его печаль. У самого рожа фиолетовая, похмельная.

– Емельян Иваныч, водицы бы испить…

Заглядывать без вызова в квартиру ихнему брату не полагалось.

– Скажу. Но тебе, брат, не водицы, тебе шкалик надо.

Перед знакомой дверью остановился, провел внутреннюю мобилизацию.

Нажал на кнопку, хотя здесь в дневное время всегда было незаперто. Зачем, если внизу полно охраны?

Трень-трень-трень, пробренчал электрический звонок.

Фон Теофельс толкнул створку – и замер.

Из коридора на него полз на коленках Григорий Ефимович. Выставил вперед кулак с двумя торчащими пальцами. Глаза дикие, невидящие.

– Что с вами, отче?

«Странный человек» потер лоб, будто силясь вспомнить.

– А, это ты, Емеля. Заходь. Тебе рад. Ништо… Померещилось… Не вспомню… Обыкновенное дело. День нынче такой.

– Какой «такой»? – прикинулся Зепп.

– А может, пронесет...

Странник с кряхтением поднялся.

– Денег принес? Марьюшке на что-то надо, говорила.

– Вот, извольте.

Как всегда не глядя Григорий цапнул купюры, сунул в карман.

Повел в кухню.

Сегодня в квартире было необычно. В коридоре никто им не встретился. Однако стоило пройти мимо какой-нибудь двери, и в ней приоткрывалась щель, из сумрака пялились чьи-то глаза. Зеппу показалось, что народу еще больше, чем обычно, просто все попрятались.

Пришли поглазеть, догадался майор. Хорошо бы только без репортеров. У этой сволочи тонкий слух и острый нюх.

На кухне была одна Марья Прокофьевна.

– А, это вы.

Сама смотрит только на Странника, с тревогой и как бы ожиданием.

– Пустое, Марьюшка, – сказал тот. – Поблазнилось что-то. Чайку налей нам, да иди.

Сели.

Марья Прокофьевна, приметил майор, отошла недалеко, ее силуэт виднелся в полутемном коридоре.

Прямо из кухни вела дверь в безоконную каморку для прислуги. Оттуда слышался шепот. Зепп сконцентрировал свой замечательный слух, потоньше чем у любого газетного нюхача.

– Кто это, белобрысай-то, а? – спросил голосок – кажется, старушечий.

– Купец богатый. Часто к нам ходит. Тихо ты! Не то выгоню.

Странник подвинул сухарницу.

– На-ко вот, посластись. Тебе можно.

Сунул пряник. Зепп бережно завернул его в платок.

– Из ваших рук – на память сберегу... Я вот думаю, не мало ли денег дал? Возьмите все, какие есть. Мне не нужно.

– Добрая ты душа, Емеля. Голубиное сердце. – Бумажки Григорий придавил сухарницей. – Среди мужеска пола таких редко встретишь. Подле меня все больше бабье трется. Потому баба сердцем живет, а мужчина горд и оттого глуп.

Говорил он сегодня не так, как всегда. Медленнее, растягивая звуки. Сам вроде как к чему-то прислушивался.

Припомнил что-то, хихикнул.

– Был я это раз в Селе, у папы с мамой...

Прервался, громко отхлебнул из блюдца.

Старушонка в каморке громко прошептала:

– Чегось? К родителям своим, стало быть, в село ездили?

– Дура ты, – ответили приблудной. – В Царское Село, к царю с царицей. Тссс!

Странник с удовольствием продолжил:

– Он, папа-то, меня спрашиват: «Как мне с Думой быть? Разгонять ли, нет ли? Так-то обрыдли!» Ну я как кулаком по столу тресну. Мама чуть не в оммо-рок, папа за сердце ухватилси. Я ему: «Что щас ше-вельнулось-то, голова али сердце?» Он: «Сердце». «То-то, – говорю. – Его и слушай». Призадумалси папа...

Вдруг он запнулся, закрыл глаза, рванул на груди шелковую рубаху и протянул-пропел изменившимся голосом:

– Марья-а! Марьюшка-а! Томно мне... Вещать буду...

А та уже готова.

Выбежала из коридора, кинула Зеппу: «Матрас!»

Он понял – разложил на полу матрас, что лежал в углу. Марья Прокофьевна взяла подушку с бечевка-ми, привязала Страннику к затылку.

Григорий закатывал глаза, шевелил губами, паль-цы бегали по телу, словно что-то с себя сбрасывали.

– Кладем! – велела экономка.

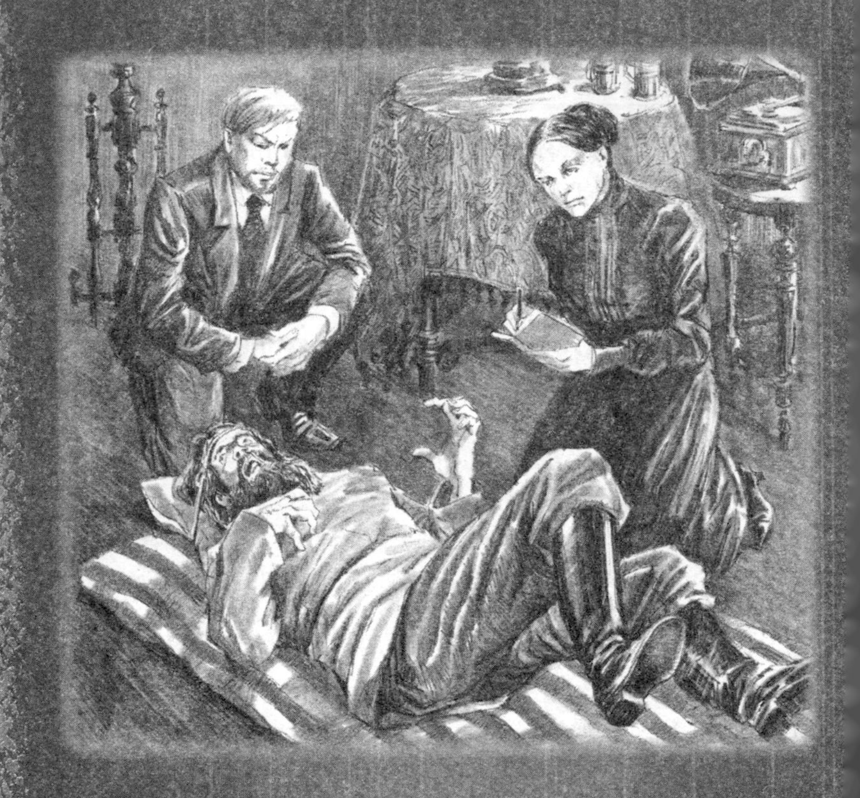

«Отпустите меня! Я не съ вами!
Улетаю отъ васъ въ небеса!
Вижу – ангелы машутъ крылами.
Слышу чистые ихъ голоса»

– Подушка зачем? – шепотом спросил Зепп.

– Чтоб голову не расшиб.

Больной дал уложить себя на мягкое. Этот припадок выглядел иначе, чем давешний, в салоне у Верейской. Тогда судороги скорей напоминали приступ эпилепсии. Ныне же Странник не хрипел, не дергался.

Марья Прокофьевна зачем-то достала из кармана передника маленькую книжечку с карандашом.

В коридоре теснились люди, заглядывали друг другу через плечи. Многие крестились. Но в кухню никто не лез, и было очень тихо.

– Лечу-у-у, – тонко пропел «странный человек». – Ай, бедныя... Что кровушки-то, слёз-то... Ночь длинная, непросветная... Не грызитеся, не кусайтеся! Черт вас друг на дружку науськиват! По рогам ему, по рогам! Эх вы, глупыя... Пропадете...

Карандаш Марии застрочил по бумаге, она записывала.

По лицу припадочного потекли слезы.

– Пуститя! – жалобно попросил он. – Что я вам сделал? Ой, нутро жжет! Иуда ты, Иуда! С рук ел, а сам... Ай, больно! Больно! Больно!!!

Это слово он повторил трижды. Первый раз схватился за один бок, потом за другой, третий раз за лоб. На минуту затих и лежал, будто мертвый. Зепп с беспокойством оглянулся на Марию, та приложила палец к губам.

Глаза Странника распахнулись. В них застыл беспредельный ужас.

– Вода черная! Холод! Всё теперя! Трижды умертвили!

Вот теперь его начало бить и корчить. Он весь изогнулся, съехал с матраса. Раздались тупые удары – это подушка стучала об пол.

Из коридора донеслись взвизги и причитания.

– Теперь держите его за плечи! Крепче!

Марья Прокофьевна достала из шкафчика стакан с приготовленным лекарством и очень ловко влила содержимое больному в разинутый рот.

Он послушно сглотнул и почти сразу обмяк.

– Уходите! Все! – приказала экономка.

Коридор опустел.

Она перечитывала записанное, хмурила брови. Странник лежал без чувств, тихо постанывая.

– Давно вы с ним?

Теофельс с любопытством рассматривал не совсем понятную женщину.

– Что? ...Давно.

Говорить ей про это не хотелось.

– А вы, простите, кто? – не отставал Зепп. – Я ведь вижу, вы не похожи на остальных.

– Я Мария. – Она печально смотрела на лежащего. – Магдалина.

– Понятно...

Это очень часто бывает: с виду человек психически нормален, а чуть копнешь... Ну, Магдалина так Магдалина.

По имевшимся у майора сведениям, после приступа своей странной болезни Григорий становился благостен и мягок, как воск.

– Скоро он очнется?

– Сейчас...

Серые, ярко блестящие глаза действительно скоро открылись. Они смотрели на потолок спокойно, будто никакого припадка не было.

– Надо свежего воздуха. – Зепп поднялся. – И посадим его ближе к окну.

Так и сделали.

Укутанный в плед, Странник медленно отхлебывал чай, слабо улыбался.

– Ну, Марьюшка, что я нынче вещал? Зачти.

Она молчала.

– Ладно, после, – беспечно молвил он. – У меня, Емеля, разные виденья бывают. Малые и большие. Сонные и явные. Какие понятные, а какие и нет. А еще зеркал видеть не могу. У меня в дому ни одного нету. Глядеть в них мне нельзя. Проваливаюсь. Как в пролубь. – Он передернулся, но тут же снова заулыбался.

Все-таки это что-то эпилептическое, предположил Зепп. С типичной эйфорической релаксацией после приступа.

– Две силы во мне, мил человек. Бесовская и Божья. По все дни бесенок поверху семенит, такое уж это племя. Но как молонья Божья полыхнет да гром грянет, тут он в щель. Тогда вещаю голосом ангельским. А отгремит гром, отсияет радуга, и снова лезет лукавый, снова евоный праздник. Ишь, зашевелился, запрыгал. – Он засмеялся, постучал себя по груди. – Вина, плясок просит.

Нуте-с, приступим...

– Отче, все хочу спросить, – сказал Зепп, стоя у окна. – Почему возле вашего дома столько людей, похожих на переодетых полицейских?

– Они самые и есть. Из Охранного. Мама за меня опасается. Многие моей погибели жалают. Убивали меня уже. Но меня просто не возьмешь. Само-меньше три смерти надо.

Теофельс заметил, как Марья вздрогнула и спрятала записную книжку в карман.

– Гадко сегодня на улице, – поежился Зепп. – Промозгло. Раз люди из-за вас стараются, поднести бы им.

Странник охотно согласился.

– Добрая ты душа. А мне и в голову... Снеси-ка им, Марьюшка. Вчера откупщик водки клопиной принес. Я-то ее не пью.

– Не женское дело водку носить. Я сам.

Зепп взял у экономки поднос с шустовским коньяком, стаканчиками, печеньем.

Выходя, слышал, как Григорий сказал:

– Мильонщик, а сердцем прост.

## НЕТ, НЕ ПРОСТ!

Когда Зепп вернулся, Странник, свежий и розовый, будто после парилки, сидел у стола и с аппетитом ел.

– Садись, Емеля. Штей покушай. Хороши!

– Что-то не так, – озабоченно сказал Теофельс. – На лестнице и в подворотне точно агенты Охранки. Но на крыше еще какие-то. Двое. Я спрашиваю: ва-

«Чу! Глядитъ ко мнѣ въ окно
Злобно чудище одно:
Алчныя глазищи,
Вострыя зубищи»

ши? А охранные говорят: нет, это из контрразведки. С утра засели.

– С контрразведки? От Жуковского-енарала? – Странник выронил ложку. – Где?

– А вон. Я их еще раньше из окна углядел.

На крыше соседнего дома, возле трубы, лежали двое в брезентовых плащах с капюшонами.

– Чего это они? – Григорий испуганно почесал бороду. – Что я им, немец что ли? Шпиён? ...Ты что?!

Это Зепп схватил его за плечи, оттащил.

– У них там футляр какой-то. Длинный. Вы вот что... К окну больше не подходите, ясно? Тут шагов тридцать, не промахнешься.

– Господи, Твоя воля, – закрестился Странник.

– Боюсь я за вас, отец. Врагов у вас много. Если сам Жуковский решит вас извести, не убережетесь.

Всхлипнул Григорий, пожаловался:

– Как кость я им в горле. Чего терзают, за что ненавидят? Вот я на енарала маме пожалуюся... Мне б только в Царское попасть. И мало́й хворает... Сердцем чую, плохо ребятенку. А скоро вовсе худо станет.

– Мало пожаловаться. Надо сказать царице, что вы не станете лечить цесаревича, пока не уволят вашего врага Жуковского.

Странник удивился:

– Ты что говоришь-то? Грех какой. Тьфу на тебя.

Но Зепп все так же напористо объявил:

– Вы как хотите, отче, а я от вас теперь ни на шаг не отойду. Тут стану жить, вас оберегать. Мне много не надо, вон на матрасе пристроюсь. Но уж и вы пока сидите дома. Никуда не ходите.

– Как же мне не ходить? Сегодня к Степке-камельгеру зван. Надоть идти. Там много дворцовых будет. Может, кто возьмет записочку маме передать. Или словцо замолвит...

– Тогда и я с вами. Как хотите, но от себя не отпущу!

## У «КАМЕЛЬГЕРА СТЕПКИ»

«Камельгер Степка» оказался камергером императорского двора Степаном Карповичем Шток-Шубиным. До 1914 года этот господин звался Стефаном Карловичем фон Штерном, но, с высочайшего соизволения, привел свое имя в соответствие с общим духом патриотизма, присовокупив девичью фамилию супруги. Со Странником камергера связывала давняя дружба. Особенно оценил Григорий то, что «Степка» не отвернулся от него в час опалы. «Вот уж друг так друг, все бы так», – сказал Странник.

Вообще-то особенной доблести в поведении Шток-Шубина не было. Никто из петроградцев, осведомленных о придворных обыкновениях, не сомневался, что рано или поздно тучи, сгустившиеся над головой сибирского пророка, разойдутся, как это уже не раз бывало прежде.

Принимали в палаццо на Крестовском острове. Плешивый, с длинными бакенбардами хозяин троекратно облобызался со Странником, который назвал его «Стяпаном-Божьим-человеком». Зеппа камергеру было велено «любить». Однако Шток-Шубин ограничился неопределенным кивком:

– Рад всякому товарищу нашего дорогого Григория Ефимовича. Милости просим.

«Степкины» гости показались майору еще чопорней, чем круг Лидии Сергеевны. Во всяком случае, консервативней. Преобладали мундиры дворцового ведомства. Журналистов не было вовсе. Из политических деятелей присутствовал один Зайцевич, правее которого, как говорится, была только стена. Он поздоровался с «золотопромышленником», а появление Странника хоть и покривился, но стерпел – просто отошел подальше.

Здесь «странный человек» вел себя совсем иначе, чем у светлейшей княгини. Ваньку не валял, никому не грубил, на пол не плевал.

Зепп уже достаточно разобрался в характере Григория, чтобы понимать: развязностью тот бравировал, когда чувствовал себя не в своей тарелке либо нарочно хотел эпатировать чересчур манерное общество. Здесь, у камергера Штока, Странник, во-первых, со многими был знаком, а во-вторых, желал достичь некоей цели.

Он говорил мало, сдержанно, веско. С благословением ни к кому не лез. Чинно пригубил вина – отставил. Всякого, кто бывал во дворце, с тревогой спрашивал о здоровье «малóго». И беспрестанно повторял: «Дохтура не слечат – у них на то науки нет». Надеялся, стало быть, что передадут кому следует.

В том, как слушали Странника, как с ним разговаривали, чувствовалась некоторая выжидательность, вызванная неопределенностью его нынешнего положения. Гости держались с опальным фаворитом учтиво, но улыбались замороженно.

Всё здесь было Теофельсу интересно. Он смотрел и слушал, готовя данные для отчета о высшем слое придворных, их настроениях, теме бесед. Любые детали тут могли пригодиться. Но главным образом, конечно, ломал голову, как помочь Григорию вернуть утраченное влияние.

Однако Странник и без помощи обходился недурно.

Вскоре он собрал в центре салона целый кружок. Там, кажется, говорили об интересном.

– Ничего того не будет, – раскатисто басил Странник. – Набрехал ихний Папус, для важности. Пущай себе хворает, нам на это тьфу.

– Но позвольте, Григорий Ефимович, – вежливо, хоть и несколько обиженно возражал ему тайный советник с петлицами министерства иностранных дел. – Всем известно, что мсье Папюс – известный провидец. Это признано во всем мире! Как же это «тьфу»? Мы все помним его пророчество!

Вспомнил и Теофельс. Действительно, в свое время много писали о пророчестве знаменитого французского оккультиста Папюса, который предсказал, что династия Романовых рухнет вскоре после его, Папюса, смерти.

Из дальнейшего разговора, становившегося все более оживленным, стало ясно, что тайный советник по дипломатическим каналам получил известие о тяжелой, чуть ли не смертельной болезни француза.

«Странного человека», похоже, задевало, что этому сообщению придается такое значение.

– Папус – пустое! Вот я помру – тогда конечно. Тогда заступаться некому станет, – с убеждением сказал он, не видя, что иные слушатели прячут улыбку.

Но кое-кто внимал ему и всерьез.

– Как это, должно быть, поразительно – проницать взором будущее! – вздохнула дама с бриллиантовым вензелем императрицы на груди. – Я имею в виду не будущее мира или общества – тут предсказателей хватает, а будущее всякого конкретного человека!

– И ничего поразительного. – Странник пожал плечами. – Надоть человеку хорошенько в зрак заглянуть, там в черной дырочке много чего увидать можно. Коли умеешь.

– Ну вы-то, почтеннейший, конечно, умеете? – спросил с невинным видом юный камер-паж, сын хозяина.

Отец укоризненно поднял бровь и послал нахальному отпрыску предостерегающий взгляд.

Однако «странный человек», если и уловил насмешку, виду не подал.

– Что ж, силу в кулак собрать – и я могу. Ежли кто интересуется, спрашивайте...

Смотрел он при этом в пол, брови сдвинул, лицом потемнел.

– Право не стоит, – весело сказала хозяйка. – Что нас ждет такого уж хорошего? Морщины, старческие болячки. Не угодно ли перейти к столу?

– Отчего же, матушка, – сказал камер-паж. – Пускай господин чудотворец – если он, конечно, чудотворец – расскажет про мое будущее. Мне очень интересно. Что со мной, к примеру, через год будет? Или через три?

С молодым человеком всё было понятно: стесняется лебезящих перед «шарлатаном» родителей, плюс воспаленное самомнение, желание выпятиться – классический букет переходного возраста.

– Антиресно тебе? – медленно повторил Странник и внезапно повернул голову к задиристому юнцу – тот слегка отпрянул, обожженный неистовым взглядом. – ...Нет, Бог с тобой, – промямлил вдруг Григорий. – Ничего, малый, ступай себе...

– Ага, напридумывали! – торжествующе вскричал Шток-младший. – А сами ничего не видите!

Один из гостей, посмеиваясь, произнес:

– Давайте я напророчествую. Через год у вас, юноша, усы вырастут.

По салону прокатился тихий смешок.

Огляделся вокруг «странный человек», сделавшись похож на окруженного псами волка. И в глазах его тоже блеснуло что-то волчье.

– Усы у тебя не вырастут – не поспеют. Пуля не даст. Будешь в снегу лежать. В яме закопают, без отпевания, – щерясь, очень быстро сказал мальчишке Странник.

– Чья пуля, германская? Я через год на войну пойду! – гордо оглянулся паж на побледневшую мать.

А в Григория будто бес какой вселился.

– Русская. Прямо в лоб тебя стукнет... А тебя у стенки стрелют, – ткнул он пальцем в дипломатического советника.

– Меня? Стрелют? – ужасно удивился тот.

– И его тож, – показал Странник на камергера. – С левольвера. В затыльник.

Хозяин неуверенно засмеялся. А провидцу как шлея под хвост попала, не мог остановиться.

– Ты с голоду помрешь, – было сказано очень полному господину с красной лентой через плечо.

– А тебе штыками исколют, – объявил прорицатель гвардейскому генералу.

– Я в атаку не хожу, – засмеялся тот. – Почему штыками?

– По брюху, вот по чему.

Шокированная тишина повисла в воздухе. Происходило что-то в высшей степени неприятное, зловещее – куда хуже скандала, устроенного Григорием у княгини Верейской.

– Что вы слушаете этого юрода? – выкрикнул сзади депутат Зайцевич.

Тоже не утерпел, подошел посмотреть, что здесь такое творится.

– А он и рад! Кто-то ему о пророчествах Казота рассказал – в канун французской революции, помните? Вот он и решил нас попугать, Казот доморощенный!

– Сам ты козел недорощенный! – огрызнулся Странник.

Зепп мысленно ему зааплодировал. Невысокий Зайцевич, с шишковатым лбом и кустистой бороденкой, был очень похож на низкорослого бодливого козлика.

Не на шутку разъяренный Григорий пошел прямо на депутата – гости торопливо расступились.

– Что глазами сверкаешь? – Зайцевич оперся о палку, глядя на оппонента снизу вверх. – Здесь тебя никто не боится.

– Пророчествую, – сказал «странный человек» хриплым от гнева голосом. – Языком своим подавишься. Скоро!

И вдруг опомнился. Обвел взглядом холодные брезгливые лица. Схватился за голову.

– Емеля! Емельян! Уведи меня отсюдова!

Зепп, естественно, тут как тут. Взял пошатывающегося пророка под локоть, повел.

«Не гляди, народъ честной,
Въ прорубь черную, дурманную.
Вдругъ узришь подъ пеленой
Свою долю окаянную?»

– Бес, бес из меня попер! Всё погубил, лядащий, – убивался Странник. – И ведь не видал я ничего в козле колченогом. По злобе сболтнул. Грех это...

И ответил ему фон Теофельс негромко, но твердо:

– Ваши уста, святый отче, зря ничего не изрекают.

Выражение лица у майора было вдохновенное.

## ТОЙ ЖЕ НОЧЬЮ, ПЕРЕД РАССВЕТОМ

Свет в окнах кабинета погас лишь в пятом часу пополуночи, когда Теофельс уже начал беспокоиться – вдруг у чертова невротика тотальная бессонница. Тип желчный, язвенный, у таких вечно проблемы со сном. Но улегся-таки.

– Еще двадцать минут ему на баиньки – и пошли, – показал майор часы старшему диверсионной группы.

Кличка Кот. В прошлом городовой, уволен за связь с ворами. Масса полезных знакомств, отличные оперативные качества. Завербован еще в двенадцатом году, провел несколько удачных акций. Морда круглая, усатая, глаза навыкате – как есть кот.

Агенты диверсионного отдела петроградской резидентуры все последние дни сопровождали Зеппа постоянно: Кот и с ним, посменно, еще кто-нибудь. На крыше зловещих типов из контрразведки тоже изображали они.

Сейчас на дело Кот взял человека, который для такого задания, по его словам, «как есть самый подходящий»: из взломщиков. Привлечен недавно. Кличка почему-то Шур.

– Значит, один он? Прислуги нету? – еще раз уточнил Кот, натягивая черные суконные перчатки.

– Так мне доложили.

Всю информацию предоставил отдел персоналий. Там картотека по всей столичной верхушке, полторы тысячи досье: сановники, промышленники, общественные деятели, депутаты. Кто где живет, с кем знается, какому богу молится. Впечатляющий массив, плод долгой и кропотливой работы. Полсотни информантов который год только этим и занимаются – собирают, уточняют, дополняют.

– Пора, – сказал Кот. Такого подгонять не надо.

Он первым вышел из авто, вразвалочку двинулся к парадной. Шур за ним, и стало понятно, откуда кличка. Вроде идет человек, даже не особенно крадется, а звука никакого – лишь еле слышное шур-шур.

У запертой двери подъезда они задержались всего на четверть минутки. Кот смотрел по сторонам, Шур слегка наклонился.

Вошли.

Фон Теофельс смотрел на циферблат – больше все равно занять себя было нечем.

Питерские дворники зимой начинают скрести тротуары в шесть. Времени оставалось в обрез.

Но агенты управились быстро. Свет в окнах снова загорелся всего шестнадцать минут спустя.

Под ногами у профессионалов путаться было незачем, поэтому майор и остался в машине. Но проверить всё необходимо.

Быстро дошел до подъезда, взбежал по лестнице. Дверь. Прихожая. Коридор.

Спальню помог определить сочащийся свет.

Исполнители стояли посреди комнаты. Оба без пиджаков, в подтяжках. Смотрели на начальство выжидательно: всё ли ладно.

«Нѣтъ на свѣтѣ краше
Ягодки-Дуняши,
Всё любуюсь, всё гляжу,
Прямо глазъ не отвожу»

Зепп походил вокруг, задрав голову. Посмотрел.

Ладно было не всё.

– А язык? – покачал он головой.

Ох, русская расхлябанность! Ничего доверить нельзя.

Зайцевич свисал с бронзовой люстры, похожий в пижаме на марионетку Пьеро. Предсмертная записка (вот и специалист-графолог пригодился) лежала, где положено. Стул, правильно, валялся рядом опрокинутый. Но самую главную деталь агенты упустили.

Пришлось самому.

– Перчатку!

Он влез на стул. Бестрепетной рукой разжал мертвецу челюсти, вытянул распухший язык как можно дальше. Коли тебе напророчили «языком подавишься», изволь соответствовать.

– Вот теперь всё.

Спрыгнул, стул снова перевернул. Склонив голову, полюбовался.

Малоприятное, конечно, дело – копаться в пасти у свежего покойника, но такая уж у разведчика работа, сочетание тонкого и грубого.

Майор был сейчас очень доволен. Даже позволил себе похвастаться, по-немецки:

– Идеальный разведчик – это мясник с умом психолога и душой поэта. Вроде меня.

– Что, извиняюсь?

Агенты иностранных языков не знали, поэтому Зепп перешел на русский:

– Это называется: одним Зайцевичем два выстрела.

Опять не поняли, но им и ни к чему.

А сказано, между прочим, отлично. Жаль, некому оценить.

Ведь действительно: помог опальному чудотворцу укрепить репутацию, а заодно избавился от активнейшего агитатора «войны до победного конца».

## УСПЕХ, ПОЛНЫЙ УСПЕХ!

Успех превзошел ожидания.

На следующий день газеты напечатали на первых полосах известие о трагической гибели великого патриота. Так, ничего особенного: за Родину погибают не только на фронте, невыносимая боль за державу, не выдержали больные нервы и все такое прочее. Процитировали предсмертную записку, которая давала полное объяснение случившемуся. Знаменитым чеканным слогом думского златоуста в ней говорилось: «Нет более сил смотреть, как губят матушку Россию продажные либералы, казнокрады и жиды. Пусть гибель моя станет предостережением для Помазанника и всех истинно русских! Простите, друзья! Прости, Христос! Прости, Отчизна!»

Однако уже на второй день поползли слухи. Узнали о пророчестве Странника, возбудились. Каким-то образом, непонятно откуда взявшись, ходил по рукам жуткий снимок: крупно лицо самоубийцы – будто бы подавившегося собственным языком...

Ну а на третий день, утром, в квартиру на Гороховой позвонил «камельгер Степка» и сказал, что нынче же завезет почтеннейшему Григорию Ефимовичу «одно послание». Пока он ехал с Крестовского, протелефонировали еще несколько придворных, и Странник уже знал, что послание от ее величества, собственноручное.

Зепп видел листок английской бумаги с монограммой. Там было только две строчки, обе из Писания:

*«Вот, яростный вихрь идет от Господа, вихрь грозный; он падет на голову нечестивых. (Иеремия, 30:23).*

*Над тобою воссияет Господь, и слава Его явится над тобою. (Исайя, 60:2)»*

И подпись: *«А.»*

Истолковать это можно было только в одном смысле: пророческая сила Святого Старца наверху оценена и признана. Опале скоро конец. Очевидно, «мама» написала «папе» в Ставку. В положительном результате не сомневается.

После получения записки Странник расцвел. Из дома он теперь никуда не отлучался – и стращать не пришлось. Дело было не только в нехороших людях на крыше, которые то появлялись, то исчезали. Григорий не отдалялся от аппарата, ждал Главного Звонка.

– Теперя позовут, – уверенно говорил он. – Не завтра – послезавтра. Мало́го лечить надоть...

Верный Емеля был неотлучно при Учителе, а как же.

Чай уже из ушей выливался, но всё доили самовар, толковали о разной всячине. Посетителей в эти дни «странный человек» не принимал.

Теофельса забавляло, что богоносец уже сам прочно уверовал в свое предсказание – запамятовал, как винился в грехе злоболтания.

Но однажды случилось кое-что, после чего скептик был вынужден призадуматься.

– Заглянул я Зайцу энтому в его зенки – и как наяву узрел: рожу распухшую, язык торчит. Во какая во мне сила, – в десятый раз хвастал Странник.

Слушатель почтительно кивал.

– Еще что узрели, отче?

Тот прищурился.

– Не могу объяснить... Быдто четыре рога у него из башки, бронзовые... И по-над ими аньгел белый, с луком-стрелою... Такое мне было видение, а в каком смысле-разуме, не вмещаю. Ну, роги – понятно. Но кто на себя руки наклал, тому аньгел вроде и не положен?

Здесь-то Зепп и вздрогнул. Вспомнил вдруг, отчетливо: Зайцевич висел на люстре с четырьмя бронзовыми рожками, а на потолке, вокруг люстры, лепнина – амурчик с луком. Узнать про этакие подробности Страннику было абсолютно неоткуда.

Мистика!

И пришел Теофельс в состояние, для него не характерное – в смущение духа.

Налицо был явный, неоспоримый факт, которому уж точно не могло быть никаких рациональных объяснений. Вся логическая натура разведчика протестовала против этого обстоятельства.

Не бывает никаких пророчеств! Нет никаких чудес! Непостижимых явлений тоже! Он всегда на этом стоял, неколебимо.

А что-то такое, оказывается, все-таки существует...

Это требует осмысления и кое-какого изменения жизненных координат, дал себе задачу Теофельс – на потом, поразмышлять на досуге.

И свое отношение к «странному человеку» с сей минуты несколько скорректировал. Стал осторожней. Черт их, провидцев, знает, чего от них ожидать.

Даже мигрень от потрясения началась, мучительная. Это еще и бессонная ночь сказалась.

А Странник возьми и скажи:

– Что морщишься? Башка, чай, болит? Я вижу. Нут-ко, поди, сядь передо мной.

Взял Зеппа одной рукой за лоб, другой за затылок.

– Не надувайся, не противься. Ишь, натужился! Двери-то открой. А то у меня вся сила стратится, в дверь твою тыркаться. Надо чтоб моя душа с твоею соплелась. Как волоса в косицу...

Майор позволил себе немного расслабиться – и вдруг ощутил в теменной области, где гнездилась мигрень, странную прохладу. Странник пошептал что-то, оттолкнул Зеппа от себя.

– Всё. Не болит уже. Я вот тебе свой гребень подарю. Будет башка трещать – почеши, пройдет. Я этак от похмелья поправляюся.

Совсем тут растерялся убежденный рационалист. Подумал: проклятая страна, воздух тут что ли такой – небылицы мерещатся.

От размягчения воли, от растерянности мог сделать какую-нибудь ошибку. Но тут случился инцидент, заставивший Зеппа забыть о мистической блажи.

## ТА, КОГО НЕ ЖДАЛИ

Сначала донесся шум со стороны входа. Женские голоса, крики.

Это было удивительно. Хоть в квартире постоянно находилось множество женщин (Зепп так и не мог их сосчитать), здесь никогда не кричали – Странник «бабьего ору» не любил. Плакали часто, шептались и молились беспрестанно, но чтобы звонкий молодой голос вот так, на весь коридор вопил:

– Пустите меня, пустите! Я знаю, он здесь! Добрые люди научили! Тимо-оша! Тимофей Иваныч! Что вы с ним сделали, шептуньи?

Если б голос не звал «Тимошу», Теофельс нипочем не догадался бы, кто кричит. А так – успел вскочить и ретироваться в темный уголок, за кафельную печь. Горничной Зине видеть здесь «господина Базарова» было совершенно ни к чему.

Шумная девица уже прорвалась и на кухню. В рукава, в подол ей вцепились несколько старушек-чернавок, но Зина волокла их за собой. Кто бы мог подумать, что под кружевным передником бьется столь горячее сердце?

Григорий изумленно глядел на воинственную особу, сумевшую преодолеть все препоны.

– Ты кто?

– Куда ты его дел, злой старик? Он раненый, он не понимает! Что тебе от него надо? – со слезами воскликнула Зина. – Ты его заколдовал!

Пока разбирались, кто она такая и зачем пожаловала, Теофельс, вжав голову, прошмыгнул в каморку, где спал Тимо. Тот всегда спал, когда нечем было себя занять.

– Вставай, разбиватель сердец! – пнул его Зепп.

Помощник сел на топчане, в руке у него словно сам по себе возник револьвер.

– Was? Что слючилос?

– Полюбуйся. Выгляни в щелку.

Тимо выглянул.

С агрессоршей общими усилиями кое-как совладали – вытолкали в коридор. Она упиралась, плакала.

– Тимоша! Я тебя неделю искала! Ты хоть живой?

После того как операция «Ее светлость» перестала быть актуальной, бывать у княгини Теофельс, конечно, перестал. Написал, что срочные дела требуют присутствия на прииске – и адьё. Естественно, и «Тимоше» стало не до амуров с субреткой.

– М-да, – хмуро молвил Зепп. – Ночевала тучка золотая на груди утеса-великана.

– Она меня искаль. – Тимо вздохнул. – Она саботился. Кароши девушка.

Но майор был настроен неромантично.

– Она не отвяжется. Знаю я влюбленных женщин. Это проблема, Тимо. Ты создал, ты и реши. Мне сейчас осложнения ни к чему.

Слуга-наперсник жалобно сморщил и без того жеваное лицо:

– Нет, пашалуста...

Скажите, какие нежности. От Тимо он этого никак не ожидал.

Определенно в здешней атмосфере таился какой-то расслабляющий, вредный для немецкой души дурман.

– Ну смотри, сердцеед. Пожалеешь.

Случилось это в тот же день. Верней, на исходе суток, перед полуночью.

В это мертвое время, когда посетителей нет, шпики в подворотне не дежурили. Один, правда, дремал на ступеньках в парадной. Когда раздался звонок и сонный швейцар, ворча, пошел спрашивать кто, филер встал и зевнул.

Швейцар вполголоса переговаривался с кем-то через щель. Потом снял фуражку, поклонился и распахнул створки.

В подъезд двинулась целая процессия: впереди двое богатырей в ливреях, потом две женские фигуры, сзади мужчина в котелке. Он сунул швейцару красненькую.

– Куда? К кому? – с подозрением спросил агент Охранного.

– Василий! – повелительно произнесла старшая из женщин, в горностаевой ротонде (на молодой была распахнутая заячья шубка).

«Что уготовано судьбой,
Не знаю, другъ мой милый,
Но не расстанусь я съ тобой
До самой до могилы»

Котелок вышел вперед, дал казенному человеку две бумажки.

– Ничего не видел, ничего не слышал. Ясно?

Агент с сомнением ответил:

– Не положено...

Получил третью банкноту, но все еще колебался.

– Если с *ним* что, мне голову оторвут...

– Долго еще? – повысила голос дама.

Василий (очень солидный, внушающий доверие господин) пообещал:

– Господин Странник нас не интересует.

В руку агента легли еще две бумажки.

Тогда служивый вздохнул, снова сел на ступеньку. Притворился, что спит.

Процессия поднялась на третий этаж.

Позвонили: раз, другой, третий.

Толкнули дверь – по ночному времени заперта.

Наконец внутри что-то зашуршало. В щель, поверх цепочки, глядел испуганный старушечий глаз.

– Кого это среди ночи, Господи?

– Откройте! – приказала дама. – Немедленно откройте! Василий!

Котелок подал знак – двое ливрейных, очевидно, готовые к такому повороту событий, действовали слаженно. Один взялся за край двери, чтоб не захлопнули, другой щелкнул большими кусачками. Обрезанная цепочка жалобно звякнула.

Старушенция бежала прочь по коридору.

– Караул! Разбойники! Емельян Иваныч! Тимофе-ей!

Молодая в заячьей шубке тоже завопила:

– Тимоша! Где ты, родной? И Емельян Иваныч здесь! – возбужденно сказала она даме. – Говорила я вам, видела я его давеча!

– Вперед! – скомандовала предводительница. – Искать!

Лакеи быстро шли по коридору, открывая одну за одной все двери.

За каждой их встречал крик, визг.

На агрессоров откуда-то коршуном налетела женщина, простоволосая, в накинутом на плечи платке.

– Не пущу! Сначала меня убейте! – зашипела она, закрыв собою одну из дверей.

Тому, кто хотел ее оттащить, вцепилась ногтями в лицо. Но дверь все-таки открыли. На постели, под светящимся лампадами киотом, сидел бородатый мужик в нижнем белье, трясся.

– Где Емельян Иванович? – спросила его княгиня. – Куда вы его спрятали, негодяй? Мне говорили, что вы его приворожили, но я не верила!

– Изыди, ведьма. Ты видение сонное, дурное. Растай! Тьфу на тебя троекратно.

Бородатый размашисто крестил ее.

– Лидь Сергевна! – крикнула сзади Зина.

Верейская оглянулась.

Из кухни с револьвером в руке – верно, на шум – выскочил Базаров. И застыл. На заспанном лице читалось раздражение. Но Лидии Сергеевне возлюбленный – разутый, в нательной рубахе, с растрепанными светлыми волосами – показался бесконечно милым, потерянным, трогательным.

Княгиня бросилась к нему, обняла, заплакала.

– Боже мой, я нашла тебя!

Никогда раньше она не называла его на «ты», даже в минуты интимности.

– Гадкий старик, он загипнотизировал тебя! Но я здесь! Я рассею чары!

Сзади появилась и тут же исчезла растрепанная башка «контуженного». Но Зине хватило и секунды.

– Тимофей Иваныч!

Оттолкнув барыню с ее кавалером, девушка кинулась к избраннику своего сердца и тоже обхватила его руками.

Бедный Тимо только крякнул.

– Что вы, сударыня, в самом деле,– недовольно говорил Зепп. – Ворвались среди ночи... Мне здесь отлично. Я тут душой спасаюсь.

– Он меня не слышит! – драматически возопила Верейская. – Эмиль, это же я, твоя Лида! Я пришла тебя спасти! Как Герда своего Кая! Мерзкий колдун заморозил твое сердце!

– Какая еще Герда? – разозлился майор.(В семье Теофельсов детям не читали сказок Андерсена.) – С ума вы, что ли, сошли?

Не следовало так грубо. Лидия Сергеевна закрыла лицо руками и разрыдалась.

– И все равно... Я не уйду отсюда... Ты не в себе... Я увезу тебя. Потом, когда опомнишься, будешь мне благодарен.

Еще не хватало! Он представил сцену в духе похищения сабинянок: дюжие лакеи, закутав его в шубу, волокут во двор.

Скрипнув зубами, сменил тон.

– Милая, я все тот же, – шепнул он ей на ухо. – Иди. Со мной все в порядке. Так надо. Мы поговорим завтра. Я все тебе объясню.

– Честное слово?

Она смотрела на него мокрыми глазами.

– Клянусь нашей любовью.

И княгиня сразу успокоилась.

Грозно – будто и не плакала, не говорила жалких слов – она оборотилась к двери, из которой выглядывал моргающий Странник.

– Учтите, старый негодяй. Если завтра Емельян Иванович не будет у меня, я приду снова. И тогда вам не поздоровится! – Она повысила голос. – Зина! Мы уходим! Здравствуй, Тимофей. Тебя я тоже выручу! В Германии ты и твой господин спасли нас, а мы...

– Теперь я вижу, что вы действительно меня любите! – затараторил Зепп по-французски, пока дура не наболтала лишнего. «Странный человек» неглуп. Если узнает, что «контуженный» – денщик «прапорщика Базарова», будет катастрофа. – Пойми, мне нужно разобраться в своих чувствах. Любовь небесная, любовь земная – все перепуталось в моей бедной голове. Мы поговорим завтра.

– Хорошо... До завтра, милый...

Нежный поцелуй, еще пара всхлипов, и ночной штурм, хоть не без потерь, был отбит. Ее светлость со свитой удалились.

В квартире с их уходом переполох не закончился. Приживалки галдели, спорили. Они так и не поняли, что это была за барыня. Версии возникали одна диковинней другой. Поминалась нечистая сила, происки Врага человеческого.

Григорий отстранил Марью Прокофьевну, цеплявшуюся ему за плечи.

– Ох, бабы, бабы. Кака барыня ни будь, а коли полюбит – тигра лютая. Про Германию-то это что она?

– Мозги у нее набекрень, вот что, – пожал плечами Зепп. – Сами видели. Пойдем-ка мы с Тимошей проверим, ушла ли. И что с охраной.

На лестнице он схватил Тимо стальными пальцами за плечо.

– Слюнявый идиот! Я тебя предупреждал! Проблема должна быть решена. Немедленно. Как – дело твое.

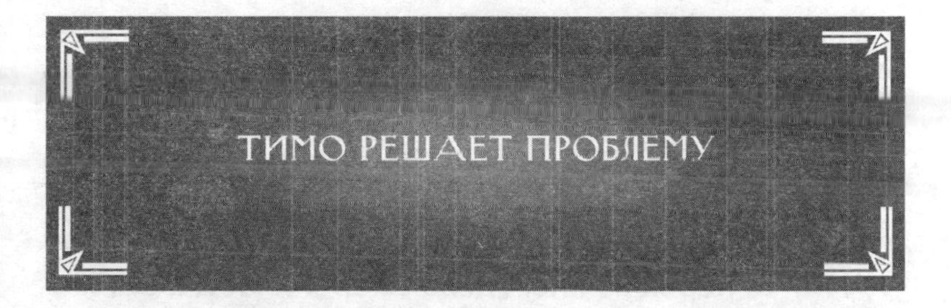

## ТИМО РЕШАЕТ ПРОБЛЕМУ

Он завел мотор, когда автомобиля княгини на Гороховой уже не было. Но это ничего. Тимо знал, где она живет, каким маршрутом поедет. Ясные, неизменяемые вещи вроде расположения улиц, направлений, ориентиров он схватывал легко.

По Гороховой он ехал не очень быстро. Ночью примораживало, мостовая была, как каток. Из соображений экономии в городе освещались только главные проспекты, и то через два фонаря на третий. На улицах и в переулках, кроме самых именитых, было вовсе темно.

Зато на Садовой наверстал отставание. С точки зрения удобства и надежности, машина «руссобалт», по мнению Тимо, никуда не годилась. Зато двигатель специально установленный, был невиданной могучести – на пятьдесят лошадиных сил.

Ночной Петроград был пуст, похож на фотокарточку с очень большой выдержкой, которая не регистрирует движущиеся объекты: во-первых, не видно людей и вообще ничего живого; во-вторых, ноль красок – только черное, белое, серое.

Какой этот город красивый, когда в нем никого нет, думал Тимо. Наверно и весь мир был бы гораздо лучше, если убрать из него человеков.

Кто-то перед важным делом нервничает, а он, наоборот, впадал в раздумчивость. Мысли всякие приходили в голову. В Тимо пропадал философ.

Но мысли не мысли, а к заранее намеченному удобному месту, у Chrapowitzki Brücke*, он прибыл с хорошим опережением.

---

* Храповицкий мост *(нем.)*.

У него еще осталось две-три минуты прикинуть, как именно он будет действовать, и даже погрустить о жестокости мира, о неправильном его устройстве.

Люди вроде льдин на реке, думал Тимо. Стукаются друг о друга, крошатся. И всем холодно, очень холодно.

Это он так подумал, потому что машина стояла возле берега скованной льдом Мойки. Недавно, во время оттепели, лед там потек и потрескался, а теперь снова схватился, но сквозь белую корку, по которой мела поземка, проглядывала темная паутина сросшихся разломов.

А потом вдали, из-за угла Офицерской, выбросился яркий луч, стал быстро увеличиваться и превратился в «делоне-бельвиль» русской Fürstin*. Всё было рассчитано правильно.

Свою машину Тимо поставил носом к мосту, прямо перед въездом, но немного наискось – с таким расчетом, чтобы не достал свет фар «бельвиля».

Большой, с цилиндрическим рылом, семиместный автомобиль несся вперед по Алексеевской, стремительно приближаясь к мосту. Тимо и сам любил вот так, ночью, когда нет уличного движения,

* Княгиня *(нем.)*.

с размаху пролететь над рекой или каналом. Это приятно.

Когда «бельвиль» был ровно на середине моста, Тимо чуть повернул свое авто, включил прожекторные фары на максимум и одновременно дал полный газ.

Ослепший шофер встречной машины инстинктивно вдавил тормоз. Лимузин перекосило, боком потащило по наледи. Всего-то и пришлось сделать – подтолкнуть бампером в край кузова.

С оглушительным грохотом тяжелый экипаж пробил чугунное ограждение, на мгновение задержался на краю и вертикально, носом, упал в Мойку.

Хрустнуло, булькнуло.

Стало тихо.

Auf jeden Fall* (предварительно, конечно, отъехав в тень домов) Тимо пошел посмотреть, не вынырнет ли кто. Так уж, из добросовестности.

На белом льду чернела дыра, как клякса на чистом листе бумаги.

Поднялся и лопнул пузырь воздуха. Покачалась и успокоилась маслянистая вода.

Тимо пробормотал:

– Armes Mädchen... Verfluchtes Leben...**

---

* На всякий случай *(нем.)*.

** Бедная девочка... Проклятая жизнь... *(нем.)*

«Покатилося кольцо
Изъ сѣней да на крыльцо,
По глухой тропинкѣ
На мои поминки...»

Большим свежевыстиранным платком вытер слезу с правого, потом с левого глаза.

Печально побрел к машине. Думал: наверняка крыло придется менять.

## ДОЖДАЛИСЬ!

Телефон зазвонил вечером, когда крыши пунцовели, окрашенные морозным декабрьским закатом. Трель у аппарата была не такая, как всегда, а особенная, часто-прерывистая.

Весь день Зепп выполнял при Страннике обязанности секретаря – всегдашний «письмовник», разбиравший корреспонденцию, третью неделю на Гороховой не показывался, болел. Вероятно, болезнь носила карантинный характер – до момента, когда акции опального чудотворца пойдут вверх.

Они, собственно, уже и пошли. Писем от всякого рода ходатаев и жалобщиков то не было совсем, а теперь снова принесли целую стопку.

– «...Человек это хороший, сирот жалеет, ты дай ему должность какую просит, а я добро попомню», – прочитал Теофельс надиктованное. – Подпишете?

– Давай. – Странник пошевелил губами, поставил закорючку. – Ну, министру отписали, благое дело сделали. Теперя чево?

Зепп взял следующее письмо.

– От фабриканта Зоммера. Просит посодействовать в получении заказа на армейские полушубки.

– Спохватилси. Пошустрее его есть. Вот ему. – Странник показал кукиш.

«Шустрый какой. А кукиша не хошь?» – старательно вывел Зепп. Зачитал.

Согласно кивнув, Григорий подписал.

Получалось, что слухи о «записочках» святого человека, при помощи которых делались и рушились карьеры или заключались миллионные контракты, не такое уж преувеличение. Только корысть от такой протекции у «странного человека» была своеобразная. Мзды он себе не брал, помогал тем, кто сумел ему понравиться. А понравиться этому хитрому, а в то же время удивительно простодушному человеку было нетрудно – майор знал это по собственному опыту.

– Упарилси. Чайку попьем, – сказал Григорий, покончив с фабрикантом. Тут телефон и зазвонил.

Странник так шмякнул подстаканником об стол, что расплескал чай.

– Осподи-Боже, дождалси! – прошептал он, часто крестясь. – Уж не чаял... Не тронь, Марья! Сам возьму.

Он подсеменил к телефонному столику, но дальше действовал с обычной в таких случаях торжественностью. Сначала поставил ногу на табурет, потом подбоченился. Задрал бороду, взял трубку.

– Алё.

– Отче, рычаг покрутить забыли! – кинулась помогать Марья Прокофьевна. – Положите трубку!

Григорий переполошился.

– Ай, ай, напортил всё! Не дождут, бросют!

Но на том конце терпеливо ждали.

– Алё, – снова сказал «странный человек» и после этого минуту или две молчал, только слушал. Его лицо помрачнело, между бровей обозначилась складка.

– Давайтя, шлитя, – проговорил он звучным, уверенным голосом. – Маме – чтоб не убивалася. Передайтя: Бог поможет. Ну и я, грешный, чем смогу.

– Что? Вызывают? – весь подобрался Зепп.

– Сподобил Господь. У мало́го жар страшенный. Мается. Из дворца машина едет. Собираться надоть. Яблочка моченого возьму мальчонке, он любит.

Но прежде чем собираться, подошел к окну, выглянул из-за шторы и показал крышным сидельцам кукиш.

«Я въ вертоградъ небесный
Душою устремленъ.
Я слышу звукъ чудесный,
Ко мнѣ вѣщает онъ»

– Что, Жуковский-енарал, съел? Зуб у тебя мелок Гришку схарчить.

Теофельс тоже остановился у подоконника, но задержался там.

– Закрою от греха.

И задвинул занавески плотно. Раздвинул снова – наверху зацепилось кольцо. Опять сдвинул.

На его манипуляции никто не обращал внимания. Марья помогала Страннику переодеться в «дворцовое»: шелковую рубашку, хорошие брюки, теплую сибирку. Тетки-старушки пялились из коридора, «странный человек» их не стеснялся.

Полчаса спустя стояли в арке, ждали машину из Царского. Это Зепп предложил: чтоб не терять ни минуты и поскорее попасть к страдающему цесаревичу, спуститься вниз. Попросился проводить до улицы – «странный человек» не противоречил. Готовясь к сеансу исцеления, он сделался молчалив, будто ушел внутрь себя.

Здесь же была Марья, укутывала его шарфом. Странник послушно задирал голову. В руке он держал сверток с мочеными яблоками, под мышкой – обернутую в платок икону.

– Едут! – показал Зепп налево.

От Фонтанки на большой скорости несся черный лаковый автомобиль, клаксоном распугивая с проезжей части пешеходов.

Григорий выглянул из подворотни:

– Не, с дворца не такая авта приезжает, подлиньше энтой.

– Как же другая? У этой, смотрите, герб императорский на дверце.

Лимузин резко остановился у тротуара. Из кабины выскочил круглолицый и усатый камер-лакей в камзоле с золотыми позументами.

– Григорий Ефимович! Скорее! Ждут!

– А Сазоныч игде? – удивился Странник, идя к машине. – За мной завсегда он ездеет.

– Хворает Иван Сазонович. Лихорадка.

– Ну, после своди меня к нему. Ужо вылечу.

В машине на откидных сидели еще двое, в мундирах дворцовой полиции.

– Охранять будетя? Ну-ну.

С кряхтением Григорий важно сел на заднее сиденье. Велел шоферу в кожаном кепи:

– Трогай, милай. Поспешать надоть.

Тот, не ответив, бешено рванул с места – будто от погони.

Марья Прокофьевна крестила удаляющийся автомобиль, ее губы что-то беззвучно шептали.

Вслед бешено мчащемуся «мерседесу» смотрел и Зепп. Из-за этого оба не заметили, как сзади, мягко скрипнув тормозами, остановилось еще одно авто.

– Что Григорий Ефимович, готов? – спросил Марью седоусый старик точно в такой же ливрее, как давешний круглолицый.

– Иван Сазонович? – пролепетала женщина. – Как же это? А кто же тогда...

Она беспомощно показала в сумерки, где еле-еле виднелись задние огни «мерседеса».

– А-а!!! – зарычал-застонал Зепп. – Это измена! Не уберегли!

– Виноват, – удивился камер-лакей. – В каком смысле?

Не поняла весь ужас случившегося и Марья Прокофьевна, хоть вроде и умная женщина.

– Некогда! Уйдут!

Теофельс кинулся к своему «руссобалту», с первого поворота включил мотор. Машина была зверь, даром что с помятым крылом.

Взревела, выпустила облако черного дыма – и погнала вдоль по Гороховой.

– Что, служивые, груститя? – весело молвил Странник. – Чего носы повесили? Теперя все ладно будет.

Ответом ему было молчание.

Впереди сидел один шофер (виднелся кончик длинного загнутого уса); напротив пассажира, спиной к движению, расположился незнакомый камер-лакей – он улыбался неживой, будто приклеенной улыбкой. Чины дворцовой полиции, два крепких молодца, были неподвижны.

– Томно, я чай, во дворце-то? Ништо. Скоро запляшут-запоют. Раньше бы позвали. Эх, гордость, глупость... – Он поглядел в окно. – Эй, ты куды повернул? Не так едем! Навовсе в другу сторону!

Шофер на миг повернул профиль. Лицо было сухое, жесткое. Лицо не прислужника – военного человека, привыкшего отдавать приказы.

– Заткните ему пасть.

– Слушаюсь, ваше высокоблагородие, – ответил камер-лакей и махнул охранникам. – А ну!

Они разом подсели к Страннику с двух сторон. Один взял его за руки, второй лапищей зажал рот.

Сопротивляться «странный человек» и не думал. От ужаса он обмяк. Глаза вылезли. Раздалось глухое мычание.

– Ноги. Брыкаться будет, – приказал шофер через минуту.

Тот, что зажимал рот, нагнулся и ловко стянул щиколотки ремнем.

– Вы от енарала? От Жуковского? – сдавленно прошептал Странник.

Кошачья улыбка, не покидавшая лицо «камер-лакея», стала шире.

– Гляди-ка. Дурак-дурак, а умный. Сообразил. Привет тебе, дядя, от его превосходительства. И адью.

В руке у круглолицего (он, пожалуй, был страшнее всех) звякнула сталь – это выскочило из кулака лезвие ножа.

«Умыкнули тати бѣднаго телятю.
Острый ножикъ точутъ, рѣзать его хочутъ»

– Не сейчас, вахмистр, – сказал шофер. – Сиденье запачкаешь. Надо, чтобы все чисто. У залива. Концы в воду.

Услышав про воду, «странный человек» вышел из оцепенения. Забился, заорал:

– Лю-юди-и-и! Убивают! Бяда-а-а!

Его коротко, профессионально ткнули пальцем под ложечку, и он согнулся пополам, захрипел.

Автомобиль гнал по темным улицам, мимо складов, мимо глухих заборов в сторону Путиловского завода, к заливу.

Сзади донеслись отрывистые звуки клаксона.

– Ваше высокоблагородие, едет кто-то. Свернуть бы.

Машина сделала один поворот, другой. Сигналы не прекратились. Наоборот, фары второго автомобиля стали ближе.

Круглолицый открыл окно, высунулся. Плюхнулся обратно на сиденье.

– Непорядок, ваше высокоблагородие. Я этот «руссобалт» на Гороховой видал. Не иначе «охранные» на хвост сели.

Шофер замысловато, по-барски выматерился. Свет прижавшегося сзади авто, удивительно сильный, залил зеркало заднего вида, слепил глаза.

– Кончать, что ли? – нервно спросил человек с ножом.

Подручные приготовили жертву – хватили за волосы, завернули голову назад, подставляя беззащитное горло.

– Нет, я его лучше в печенку, – сказал убийца. – А то кровянкой окатит.

Странник только шептал молитву, голоса у него уже не было.

Начальник снова выругался.

– Отставить! Не на глазах же у «охранных». У них мотор зверь. Догонят. Выкиньте его к черту. Успеется.

Открыли дверцу.

Поняв, что его сейчас выбросят прямо на бешеном ходу, Григорий завыл, стал хвататься за тех, кого только что пытался оттолкнуть.

Его проволокли через колени одного из ряженых и, наподдав ногой, вышвырнули из авто.

Хорошо – зима, вдоль дороги были наметены сугробы. В один из них он головой и зарылся.

Ослеп, оглох.

Зепп выскочил из кабины.

«Мерседес» улепетывал, подпрыгивая на ухабах разбитой мостовой. Через несколько секунд огоньки исчезли.

Из сугроба торчали стянутые ремнем ноги в лаковых сапогах. Сначала слабо шевелились, потом вдруг задергались, будто пытались пойти вприсядку.

Когда Теофельс вытащил спасенного, того били судороги. На сплошь залепленном снегом лице зияла дыра рта.

– А-а-а! – захлебывалась дыра. – В воду не хочу! Вода, она черная! Пуститя-а-а-а!

– Отче, это я, Емельян. Вы целы?

В снежной маске открылись еще два отверстия, поменьше. Они сияли безумием и ужасом.

– Я тебе не отче! Тебе черт батька! Узнал я тебя! Ты у черта на посылках! Изыди, сгинь!

Он пытался отпихнуть Зеппа, кричал что-то бессвязное – про лед, про черную воду, про троекратную смерть. Пришлось крепко обхватить его и ждать, пока минует припадок.

– Ну уж «изыди». Так-таки «сгинь», – приговаривал майор, будто успокаивал ребенка. – Нет тут никакого черта. Тут ангел Господень. Это он вас от смерти спас, сугробчик вот очень кстати приготовил.

(Грамотно сработали ребята из диверсионного – выгрузили объект на полной скорости просто идеально, без членовредительства.)

Григорий окончательно пришел в себя уже в машине, накрытый зепповой шубой.

Растерянно осмотрелся.

– Крутило меня? Вещал? – спросил он слабым голосом. Зубы постукивали. – Гдей-то мы, Емеля?

– Да, у вас был припадок.

– А что вещал? Запомнил ты?

– Что-то про генерала Жуковского. Не то он черт, не то у черта на посылках. Что за люди пытались вас похитить, отче? Зачем?

«Странный человек» заполошился – вспомнил.

– Где они? Где?

– Нет здесь никого. Сбежали. Успокойтесь.

Тогда чудотворец горько, безутешно заплакал.

– Убьют они меня... Что он и что я. Где мне? И мама не спасет... Зарезать меня хотели, Емелюшка. В залив пихнуть, под лёд... Знает Жуковский-енарал чего я страшуся, про что сны вижу... Сегодня у него не вышло, завтра достанет. У его руки длинныя...

– Так это были люди Жуковского? – Зепп покачал головой. – Я вас предупреждал.

– Что делать, Емелюшка, что делать? – всхлипывал Странник. – Пропал я!

– Я скажу вам, что надо сделать.

## УТОМИТЕЛЬНЫЕ ХЛОПОТЫ БЛИЗИЛИСЬ К КОНЦУ

Не так уж много времени миновало с той минуты, как два авто один за другим умчались по Гороховой от арки дома номер 64, а третье, прибывшее из Царского, осталось на месте.

Марья Прокофьевна была вне себя от тревоги, но камер-лакею (подлинному, не фальшивому) послышалось, что Базаров перед тем, как броситься к машине, крикнул не «это измена», «это смена». Возможно, произошла путаница и за Странником прислали какой-то другой, сменный, экипаж? Когда все нервничают, государыня велит одно, церемониймейстер другое, главный дворецкий третье, чего только не бывает.

Пока Иван Сазонович, человек немолодой, телефонировал в императорский гараж, пока приставленные к дому агенты Охранного выспрашивали, как именно всё произошло, да сколько человек сидело в «мерседесе», да как они выглядели, прошел чуть ли не час. А когда старшему филеру стало окончательно ясно, что случилось ужасное и – никуда не денешься – надо рапортовать начальству, вдруг подъехал «руссобалт» золотопромышленника.

Все кинулись к автомобилю.

Вышел суровый Базаров, открыл дверцу. Помог Страннику выйти.

Тот выглядел еще суровей. Ни на кого не смотрел, на вопросы не отвечал. Взгляд был обращен в черное небо, отблеск электрического света мерцал на влажной от растаявшего снега бороде.

Лишь одно слово бросил он Марье Прокофьевне:

– Странничать.

И та вздрогнула, низко поклонилась, побежала к подъезду.

Святого кудесника почтительно удержали за рукава с двух сторон.

Старший филер искательно спросил:

– Дражайший Григорий Ефимович, всё ли с вами благополучно? Я гляжу, на рубашечке-с воротник оторван?

А камер-лакей взмолился:

– Едемте, сударь! Очень их величество убиваются. И его высочество так-то плохи, так плохи...

С плеч «странного человека» наземь упала шуба.

– Не поеду я... Странничать ухожу. По Руси. По святым местам. Альбо куда глаза глядят. Прощайте.

– А кто будет цесаревича лечить? – обомлел Иван Сазонович. – Ведь кровью истечет!

– На всё воля Божья. Человек я странный, засиделся у вас, благодать-то и высохла. На пустое стратилась, на избавление от врагов моих... Ныне пчелкой по обителям смиренным, по скитам чудесным полечу. Меду благостного поднасоберу. Как сызнова в силу войду – тогда ждитя...

– Это когда же будет? Скоро ль?

– Как Господь доведет. Слабый я стал, бессильный. Бес меня мало не погубил, силу высосал.

Но камер-лакей все еще надеялся.

– Григорий Ефимович, хоть попробуйте. В последний раз. Молитву почитайте, руки его высочеству на лоб наложите. А потом и ступайте себе.

– Не стану! – рявкнул Странник зычно – старик попятился. – Сказано: доктора пускай лечут. А я боле не могу.

Физиономия дворцового служителя приняла испуганно-плаксивое выражение.

– Что же я ее величеству скажу?

– Ничего не говори. Вот, передай бумажку.

Иван Сазонович послушно взял листок, покрытый размашистыми каракулями. Механически развернул, нагнулся у зажженной фары, прочел. Вымуштрованный и опытный слуга, он никогда бы так не поступил, если б не крайняя растерянность. То есть прочитать бы, конечно, прочитал (любопытно же), но потихоньку, вдали от посторонних глаз.

В записке говорилось: «Не поеду к вам бес не пущает. Бесу имя Жуковский Енарал. Пока он подле вас меня подле вас быть не могет. Охраняй Господь. Григорий».

Из парадной выбежала Марья Прокофьевна. Она несла овчинный треух, валенки, драный ватник и посох.

Помогла Страннику переобуться и переодеться. Все молча наблюдали.

– С собой меня возьмите. Пожалуйста, – дрогнув голосом, попросила Марья. – Я не помешаю... Сзади пойду.

«Странный человек» равнодушно ответил:

– На что ты мне.

Видно было, что мыслями он уже не здесь, а где-то очень далеко – то ли в полях-лесах, то ли в иной дали, вовсе недостижимой.

– Ну, бережи Господь.

Он поклонился всем по очереди, в пояс. И пошел по тротуару, отстукивая посохом. Такой же широкой, мерной поступью в свое время он отмахал ты-

«Развѣйся, дума ложная,
уйди, тоска порожняя.
Веди, звѣзда тревожная,
Стелися, пыль дорожная»

сячи верст. Теперь если и остановится, то нескоро и неблизко.

Через минуту Странника было уже не видно. В луче вились мелкие снежинки.

Тихо плакала Марья Прокофьевна. Шепотом спорили филеры – такого случая их инструкция не предусматривала.

Камер-лакей простонал:

– Мальчика жалко. Умрет ведь мальчик... Боже ты мой, что делать?

Зепп дал дельный совет:

– Скорей доставьте записку во дворец. Пешком он далеко не уйдет. Если что – полиция отыщет. Главное, чтоб согласился вернуться.

– Ах ты, Господи. – Старик засуетился, даже поблагодарить забыл. – Заводи мотор! Едем, едем! Живее!

# В ВАГОНЕ ТРЕТЬЕГО КЛАССА

В гельсингфорсском поезде, в скромном, не слишком опрятном отделении третьего класса ехала не вполне обычная компания.

То есть двое-то, сидевшие спиной к движению, были самые обыкновенные. Пожилой дядя в ватном картузе, как еще перед отбытием привалился к окну, так и уснул. Рядом устроился юноша-реалист с котомкой, от которой исходили аппетитные запахи (он навещал в столице тетушку и получил в дорогу массу всякой провизии). Но напротив этих двоих восседали пассажиры необычные – долговязый схимник с седой бородой и рясофорный монах, очень живой и общительный.

Подросток глазел на человека святой жизни. На железной дороге такой персонаж – редкость.

Тощее, видно, изможденное епитимьями и строгим постом лицо отшельника вызывало почтение, равно как и белый череп с костями, вышитый на клобуке в знак отрешения от всего мирского.

Бойкий монах уже успел сообщить, что старца зовут отцом Тимофеем, что он безмолвствует, ибо дал обет неукоснительного молчания вплоть до конца богопротивного кровопролития, а сам он, брат Алексий, приставлен сопровождать схимника из тобольского скита в карельский, где братия нуждается во вдохновенном наставлении. Одного старца отпустить в долгую дорогу было невозможно, ибо он совсем не от мира сего, да и говорить ему нельзя, хоть бы даже с контролером.

– Как же он наставлять-то будет, если у него обет безмолвствия? – заинтересовался реалист.

– Примером благой жизни.

А а...

Через некоторое время юноша начал доставать съестные припасы: домашние пирожки, курятину, вареные яйца.

– Милости прошу, – предложил славный юноша. – Только вам, наверное, не положено... Тут всё скоромное...

– Отцу Тимофею точно не положено, он в суровой схиме. А мне ничего, в путешествии позволяется, – быстро сказал монах. – И господина, соседа вашего, будить не следует. Вон как сладко спит.

Проворно прочтя молитву, он принялся уписывать угощение. Суровый отшельник скорбно наблюдал за суетным чревоугодием.

На Руси, да еще в дороге, как известно, молча не едят. Под трапезу завязался обычный для нынешнего времени разговор – сначала про войну, потом, конечно, про «Гришку».

На военных событиях долго не задержались. На фронте дела, как обычно, шли очень хорошо. У реалиста с собой была утренняя газета, которую он уже прочел и знал все новости. Наши опять дали жару немцам, измотали их в упорных оборонительных боях и ловко отошли на более удобную позицию.

А вот про Странника заспорили. Молодой человек с горячностью своих семнадцати лет называл его не иначе как «бесом» и «позором отечества». Духовное лицо было менее категорично – сомневалось.

– Однако же Странник так называемый обращает ухо властителей наших к молитве и чаянию народному, – возражал брат Алексий, жуя. – Не так ли, святый отче?

Схимник угрюмо кивал, глядя на кучку румяных пирожков.

Юноша горячился:

– Пишут про отставку командира жандармского корпуса Жуковского. Намекают, что это Гришка его

«Во чужихъ во палестинахъ спалъ на мягкихъ я перинахъ.
Но съезжаю со двора, мнѣ на родину пора»

свалил. Вот, послушайте: «По сведениям редакции, к отстранению от должности виднейшего деятеля охраны безопасности приложили руку силы, которые в последнее время приобретают все большее влияние». Это из-за цензуры так витиевато написано, но всем понятно, о ком речь! Самого Жуковского шарлатан свалил! Какие уж тут «молитвы и чаяния народные»!

– Не всему, о чем газеты пишут и люди судачат, верить следует. – Монах строго воздел палец к потолку. – Помазаннику Божию лучше ведомо, кого приблизить к своей особе, а кого отдалить. Верно я говорю, отец Тимофей?

За окном проносились заснеженные пригородные дачи, перелески, белые поля. Чтоб не ссориться, реалист перешел на новости менее значительные: про фильму «Песнь торжествующей любви», побившую все рекорды кассы, про слониху Бимбо, родившую в зоопарке семипудового детеныша. Но в синематографе божьи люди отродясь не бывали, в зоопарке тоже, и беседа понемногу затихла.

Реалист заклевал носом и вскоре уже спал сладким юношеским сном, с трепетанием ресниц и губным причмокиванием.

– Давай, святой угодник, лопай, – шепнул монах. – Скажу мальчишке, что это я всё подмел.

Схимник жадно стал запихивать в рот оставшиеся пирожки, глотая их прямо целиком.

Дядя в картузе открыл один глаз.

– Пирошок, – сказал ему отец Тимофей. – Маленки, но фкусни.

– Не, изжога у меня, – просипел тот.

Это был агент Кот, только без усов. Ему было поручено сопровождать людей из Центра до границы княжества Финляндского.

Майор фон Теофельс осторожно взял со стола газету, в которую недавно с жаром тыкал пальцем юный спорщик. С удовольствием прочитал маленькую заметку с длинным заголовком «Отстранение от должности командира жандармского корпуса свиты его величества генерал-майора Жуковского по высочайшему указу».

– Я вот все думаю, Тимо, как быть с чудесами? – спросил Зепп. – Как вписать в логику бытия те явления, которым нет рационального объяснения?

Тимо догрызал куриную ножку.

– И вот что я тебе скажу, мой благочестивый друг. – Теофельс поднял палец. – Умный человек не пытается найти разгадку тому, что разгадки в принципе не имеет. Умный человек просто берет чудо и придумывает, как использовать сей феномен для пользы дела. Ты со мной согласен?

Помощник не возражал.

– Яйцо тоше зъем, – сказал он.

**Конецъ пятой фильмы**

**ПРОДОЛЖЕНІЕ БУДЕТЪ**

# ХРОНИКА

Мотоциклеты

Семья
германского офицера

Германская ставка

Гигантская пушка «Шкода»

**Курорт Бинц**

**Моды зимнего сезона 1915-1916**

Странник

**Светский раут в Петербурге**

**Дом на Гороховой**

«Делонэ-бельвиль»

Авто золотопромышленника Базарова

Храповицкий мост

Автомобиль упал в реку

Камер-лакеи

Финляндский вокзал

Финская граница

Фильма шестая

# ГРОМЪ ПОБѢДЫ,

# РАЗДАВАЙСЯ!

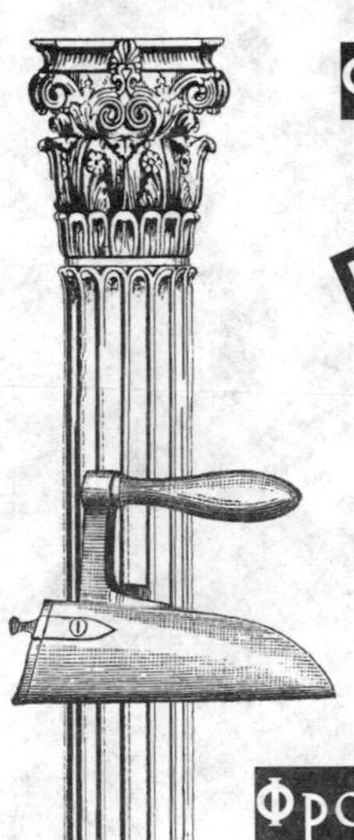

Фронтовая зарисовка

ОПЕРАТОРЪ

**ИГОРЬ САКУРОВЪ**

**Тапёръ г-нъ Акунинъ**

Демонстрація сопровождается
патріотическіми пѣснями
собственнаго его сочиненія

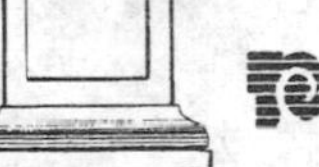

# УМ И СЕРДЦЕ

Отслужив полтора года в контрразведке, Алексей Романов сделался если не другим человеком, то во всяком случае очень сильно изменился.

Время было страшное, военное. Менялось всё вокруг – люди, страна, мир, причем исключительно к худшему, ибо что доброго может воспоследовать от каждодневного кровопролития и тотального озверения? Однако на себя Романов этот закон не распространял и был уверен, что сам он стал не в пример лучше прежнего: более сильным, твердым, зрелым. Важнее всего то, что теперь он мог считаться в своем новом ремесле настоящим профессионалом. И дело тут не в самомнении, которое, бывает, и подводит.

Алексея считали превосходным специалистом люди серьезные, облеченные властью. Несмотря на возраст и скромный чин, доверяли ему ответственные задания, в ходе которых вчерашнему студенту иногда приходилось командовать офицерами, превосходившими его количеством звездочек на погонах. Одним словом, Алеша имел веские основания собой гордиться.

Но в марте шестнадцатого года случился с ним один казус, который продемонстрировал, что до истинного профессионализма подпоручик еще не дорос.

Уже несколько месяцев Алексей служил в контрразведочном управлении Юго-Западного фронта. Удачно провел несколько операций, и вот доверили ему дело особенной важности. Следовало выследить и обезвредить небольшую, но исключительно дерзкую шайку австрийских шпионов, которая устроила ряд взрывов в ремонтных доках и на железной дороге. За неуловимыми диверсантами гонялись давно. Прежний руководитель группы поиска лишился своей должности после того, как австрияки в Одессе, прямо под носом у контрразведки, вывели из строя штабную радиомачту, после чего главком целую неделю оставался без моментальной связи.

Романов с охотой взялся за работу, соединив инстинкт (так называемое «верхнее чутье») с математическим расчетом. Довольно скоро зацепился за ниткy, потом вышел и на главаря. Оперативная кличка у этого предприимчивого господина была «Черномор» – из-за большой бороды, а также из-за того, что первой на него начала охотиться контрразведка Черноморского флота. Можно было Черномора брать, но Алексей с арестом не торопился. Согласно заключению экспертов, враги использовали какую-то новую взрывчатку невиданной разрушительной силы. Было установлено, что к подножию радиобашни подбросили планшет, в который никак не могло поместиться более двух фунтов вещества, однако же взрыв сломал мощную металлическую конструкцию, словно спичку. Поэтому начальство требовало, чтобы Черномора взяли не «голым», а вместе с образцом загадочного эксплозива.

Усложнение первоначального задания лишь подстегнуло рвение молодого контрразведчика. Он и в университете любил головоломные задачи. В конце концов заковыристое уравнение было подведено к простому и красивому решению. Романов доложил, что операция по захвату полностью готова.

Черномор вознамерился взорвать железнодорожный мост через Днестр, что минимум на месяц парализовало бы транспортировку войск на всем южном крыле фронта. План затеваемой акции Роману был известен почти во всех деталях.

Начальник управления подполковник князь Козловский пожелал лично присутствовать на операции, пообещав ни во что не вмешиваться. Произнес лестные для Алешиного самолюбия слова: «Полюбуюсь, как ты работаешь» (командир и сотрудник с давних пор были на «ты»). Прибыл к назначенному времени элегантный, с тросточкой, в белом костюме – будто на воскресную прогулку.

Романов, конечно, волновался, но в общем был уверен в успехе.

Деться из ловушки Черномору было некуда. Как только явится на причал, тут его, родного, и возьмут.

У маленькой пристани стояло несколько мелких судов – навигация уже началась. Было известно, что шпионы наняли паровой буксир «Наяда», якобы для увеселительной прогулки по весенней реке.

Арестная группа разместилась прямо напротив причала, в пароходной кассе: Романов с князем и десяток жандармов с карабинами. Подпоручик не отрывался от бинокля.

– Приехали, – объявил он.

Из пролетки спустился «объект» – крупный мужчина с большой черной бородой, во всегдашней песочной клетчатой паре, в роговых очках. С ним сошла высокая элегантная дама – переодетый шпион Танцор, в прошлом действительно чечеточник. Изображали влюбленную пару, собравшуюся на романтическую прогулку. В руке Черномор нес пикниковую корзину – легко, будто там бутерброды. А между тем, в корзине была взрывчатка, полтора пуда. Каменную опору моста меньшим зарядом не обрушить.

– Они заставят команду буксира спрыгнуть за борт, – шепотом рассказывал Алексей. – Это в мартовскую-то воду! А сами прикрепят мину к опоре моста, с пятиминутным запалом. И на полных парах дунут вниз по течению. Если даже часовые сверху что то заметят или заподозрят, за пять минут спуститься и обезвредить механизм они не успеют.

– Толково, – одобрил князь вражеский план. – Ну давай, командуй. Будем брать?

Но Романов все подкручивал колесико на бинокле.

– Лавр, – вдруг произнес он сдавленным голосом. – Это не он!

– То есть?

– Это не Черномор! Это Лопата, его помощник! У них схожее телосложение. Лопата нацепил костюм Черномора, очки, привесил бороду! Смотри сам!

Лавр Константинович схватил окуляры. Лицо Черномора он знал в малейших черточках – в зеркало реже глядел, чем на фотографии проклятого диверсанта.

– Точно! А где же Черномор?

Вместо ответа подпоручик выругался.

У причала отдавал концы «Бычок» – другой буксир, совсем маленький. На корме стоял здоровяк в брезентовом плаще, с мешком за плечами. Пока все разглядывали «пикникующую пару», он незаметно поднялся на борт. Вот детина коротко оглянулся. У него не было ни бороды, ни очков, но Алексей сразу узнал главного диверсанта.

Смысл маневра был абсолютно ясен. Черномор не догадывался о засаде – иначе он не явился бы на пристань. Австриец просто проявил свою всегдашнюю осторожность, благодаря которой его так долго не могли поймать.

– Что ты намерен делать? – быстро спросил Козловский. – У тебя такой поворот предусмотрен?

– Разумеется. – Романов небрежно пожал плечами. – У меня все возможные варианты просчитаны. Вон «Молния» стоит под парами. – Он показал на белый щегольской катер, скромно покачивавшийся в дальнем конце пристани. – Быстрей на реке нет.

– Тогда что ж ты медлишь?

– До моста четыре версты, догоним. Нужно так взять Лопату с Танцором, чтоб с «Бычка» не заметили. Пусть отплывет подальше.

Непредвиденный фокус Черномора не нарушил хода операции, а лишь несколько его изменил.

«Романтическую пару» взяли быстро и тихо, едва «Бычок» скрылся за излучиной реки. Минуту спустя офицеры и шестеро жандармов (остальные сторожили арестованных) уже взбегали по трапу «Молнии». Чуть-чуть задержал Козловский – он был хром. Еще через полминуты катер взбил винтом воду и понесся вперед.

К исходу первой версты буксирчик снова попал в зону видимости. Стало возможно вести наблюдение в бинокль.

– Похоже, команда не участвует в затее, – отрывисто делился с начальником выводами Алексей. Шкипер – его зовут Трофимыч – не озирается, дымит трубкой. Матросом у него внук. Кажется, Степкой звать. Тоже спокоен, поплевывает за борт.

– Как это ты в бинокль разглядел, что они Трофимыч и Степка? – заинтересовался Козловский.

– Я знаю всех, кто работает на пристани. Изучил. Парнишка – рыбацкий сын, сирота. Кроме деда никого нет. Буксир их собственный. Жили бы неплохо, если б Трофимыч пил поменьше.

На это князь философски заметил:

– То же самое можно сказать обо мне. Зачем я вчера не остановился на второй бутылке? Не трещала бы башка...

– Черномор оглянулся. Заметил, – прервал Романов. – Снова оглянулся. Заподозрил! Эй, самый полный!

«Молния» прибавила ходу. Расстояние быстро сокращалось.

– Близко к мосту его подпускать нельзя. – Подпоручик не замечал, что от нетерпения колотит свободной рукой по борту. – Черномор – дядя решительный. Может подорвать себя вместе с опорой, взрывчатки у него с избытком. Но, если мы его догоним посреди реки, скорее всего сдастся. Что ему зря погибать? Может, конечно, мешок в воду кинуть, но это ничего. Водолазы найдут.

– Молодец, – похвалил князь, ловко закуривая на ветру. – Всё продумал, всё предусмотрел. А помнишь, каким сосунком я тебя подобрал?

На буксирчике тем временем произошло вот что: диверсант спрятался за рулевую надстройку, наставил на деда с внуком револьвер. Его рот беспрестанно шевелился. Должно быть, угрожает, требует увеличить скорость.

– Команда ничего не знала, так я и думал...

В бинокль было хорошо видно искаженное страхом лицо мальчишки. Не Степка, а Санька, вспомнил подпоручик. Двенадцать лет ему. А живут они в Матросской Слободке.

– Теперь не уйдет. Предлагай сдаться.

Козловский совал рупор. Между «Молнией» и «Бычком» оставалось полсотни шагов. Вдали, верстах в полутора, показался ажурный контур моста.

– Эй, на бригантине! – весело и зло заорал Алеша. – Спускайте штандарт! Все равно не уйдете!

Усиленный медным раструбом голос раскатился по простору.

Как и предполагалось, Черномор схватил мешок – собрался выкинуть за борт перед арестом.

– Пожалуйста, не надо! – еще дурашливей крикнул подпоручик. Настроение у него с каждой секундой становилось все чудесней. – Все равно достанем! Отдадите сами – будем давать в камеру папиросы!

Про Черномора было известно: единственная его слабость – заядлый курильщик.

Как ни странно, подействовало. Мешок снова лег на палубу. Шпион устало вытер рукавом лоб, опустил руку с револьвером.

Князь восхищенно фыркнул у Романова за спиной:

– Ну ты, Лёшка, психолог!

Потом фыркнул еще раз – как-то очень уж громко. Алексей удивленно обернулся. Фыркнуло еще раз. Это был не подполковник – звук доносился откуда-то снизу.

Вдруг двигатель затих. Некоторое время катер по инерции еще рассекал волны, но скорость стала снижаться.

– Капитан!!! – в ужасе завопил Романов. – Вы с ума сошли! Что с мотором?!

Из трюма высунулась белая физиономия.

– Виноват... Сейчас разберемся... Новейший американский дизель... Не приобыклись...

– Я вам дам «не приобыклись»! Я же спрашивал, проверили или нет?!

– Проверили, а как же, – лепетал капитан «Молнии». – Всё было в порядке...

В общем, произошла настоящая, форменная катастрофа.

Подпоручик обернулся на удаляющийся «Бычок», приставил к глазам бинокль.

Увидел – крупно – лицо Черномора. Шпион догадался, что́ произошло, но его черты выражали не радость, а смертную тоску. В первый миг Романов не понял, что это означает. Потом сообразил...

– Он возится в мешке! Кажется, что-то поворачивает! – кричал Козловский. – Лёша, он хочет взорваться вместе с мостом!

Руки Алексея задрожали. В окуляре мелькнула плачущая веснушчатая физиономия Саньки.

– Прыгай за борт! Может, выплывешь! – прошептал Романов. Хотя какое там «выплывешь». До берега далеко, вода плюс десять...

– Делать нечего, – схватил его за плечо Козловский. – Командуй «огонь»!

– Все наверх! – закричал Алексей. – По буксиру целься!

Высыпавшие из трюма жандармы залязгали затворами, приложились.

До «Бычка» было уже больше ста метров, из «браунинга» палить – пустое дело.

Если бы Романов догадался опустить бинокль – тогда, может, и хватило бы решимости дать команду «пли!». Но в стеклянном кружке по-прежнему, будто пойманный в прицел, маячил конопатый Санька из Матросской Слободки.

– Ты что?! – выл Козловский. – Уйдут! Там ведь мост!

– А мальчик? Попадем в него. Или в мешок, а в нем взрывчатка... – постыдно лепетал Алексей.

Князь тогда скомандовал сам:

– Ребята, огонь! Пли!!!

Загрохотали карабины. Романов разжал пальцы – бинокль вывалился, качнулся на ремешке, ударил в грудь.

«Пусть знаютъ прадѣды и дѣды,
Что мы идемъ по их пути,
Что мы готовы за побѣду
Любыя жертвы принести»

Через секунду на поверхности реки с треском распустился огненный бутон. В стороны полетели обломки, какие-то черные куски. Вскинулся дымный столб кипящей воды...

Потом у них с Козловским состоялся разговор, вспоминая который Алёша всякий раз мучительно краснел.

– Думаешь, мне мальчишку с дедом не жалко? – хмуро выговаривал ему подполковник. – Еще как жалко. Мне всех жалко. Но они так или иначе погибли бы. Только с ними сгинул бы и мост. А знаешь, что для нас сейчас значит этот мост? «Старик» (так в штабе называли командующего фронтом) меня третьего дня вызывал. Едет в Ставку. Будет добиваться санкции на наступление. А без моста армиям паралич. Ни подкреплений, ни боеприпасов. Понимаешь ты это или нет?

Романов убито ответил:

– Понимаю...

– Черта лысого ты понимаешь! – Князь покачал головой. – Как был студентом, так и остался... Это в частной жизни ты можешь руководствоваться сердцем. А тут обязан: сердце в кулак, слушать только разум. Ты ключевой сотрудник контрразведки фронта! На тебе ответственность за миллион человек. И даже больше – за судьбу России... Ничего не попишешь. Иногда приходится переступать через всё, чему нас учили в детстве. Через собственную душу! Иначе профессионалом не станешь. А если мы с тобой не будем в нашем деле профессионалами, то фрицы с австрияками нас переиграют. Они-то умеют руководствоваться умом, а не сердцем. И одолеют они не нас с тобой, не Лавра Козловского с Алексеем Романовым, а *всех нас*, Россию. И не будет больше России. Потому что эта война – на вылет. Либо их империи сгинут, либо наша. Запомни это.

Подпоручик Романов запомнил.

## СОВЕЩАНИЕ В СТАВКЕ

Первого апреля в могилевской ставке проходил, как выражались штабные остроумцы, «Большой гав-гав». Так они именовали военный совет, в котором участвовали главнокомандующие фронтами. Непочтительный «гав-гав» образовался не потому, что стратеги собачились между собой, а из-за новомодной страсти к аббревиатурам, охватившей всю державу и сильно покорежившей русскую речь. В историческом совещании участвовали: Главковерх (верховный главнокомандующий), Главсев (командующий Северным фронтом), Главзап (командующий Западным фронтом), Главюгзап (командующий Юго-Западным фронтом), Главштаб (начальник Главного штаба) и Главарт (главный инспектор артиллерии). Устроитель подобных мероприятий, Главштаб, картавил на букве «л» – у него получалось: «Соедините меня с Г'авзапом» или «Отправьте это Г'авсеву». Отсюда и пошло.

Вызванные в Ставку «гавы» прибыли еще накануне, в собственных салон-вагонах, но из-за двух царских поездов места на ближних путях не нашлось, и генералы поселились кто в «Бристоле», кто в «Метрополе» – двух мало-мальски приличных гостиницах захолустного Могилева.

Правда, за месяцы, миновавшие с тех пор, как государь лично принял обязанности Верховного, городишко, по сути дела, стал второй столицей империи и заметно преобразился. На Большой Садовой и Дворянской появились недурные рестораны, скромно именовавшиеся «столовыми». Цены в магазинах стали такими, что фронтовые офицеры только диву давались.

Распорядок дня венценосца был следующим.

В девять ноль ноль его величество поднимался со своей походной кровати, делал гимнастику и завтракал. Потом выслушивал доклад Главштаба по карте фронтов. С одиннадцати до часу принимал посетителей. Обедал, часок спал у себя, на той же койке. В три отправлялся на «роллс-ройсе» в освежающую автомобильную прогулку по окрестностям. В семь неспешно ужинал, после чего смотрел новую фильму, а если таковой не поступало, читал по-английски что-нибудь легкое.

Но ради важного совещания обычное расписание было изменено.

Ровно в одиннадцать утра перед запертыми дверями кабинета выстроилась шеренга адъютантов.

Главштаб начал с доклада об общем положении дел.

Самые интересные события в последнее время происходили в Закавказье, где войска Южного фронта били турок под Трапезундом, но поскольку Главюг, единственный из командующих, на совете отсутствовал, про успехи «южан» сказано было коротко.

Про обстановку на европейских фронтах Главштаб тоже упомянул без подробностей. Зато долго, в деталях, описывал недавние действия нашего Запфронта, весь март теребившего немцев без каких-либо заметных результатов. Главзап слушал, набычившись, но ни к чему в докладе придраться не смог. Председательствующий оперировал лишь цифрами и фактами, дипломатично уклоняясь от оценок.

На Северном и Юго-Западном активных действий давно не велось, поэтому Главштаб уделил каждому из этих фронтов не более пяти минут. Здесь вводная часть закончилась – без обсуждения. Сегодня командующих собрали не анализировать итоги зимней кампании, а согласовывать план новой, летней.

Настроение у участников было бодрое, но в то же время ощущалось и напряжение. Бодрость объяснялась тем, что после ужасных потерь прошлого года армия получила пополнения, значительно лучше стало со снабжением, а главное – враг перенаправил главные силы на западные фронты, где сейчас под Верденом крутилась страшная мясорубка, ежедневно выплевывая тысячи и десятки тысяч трупов. Напряжение же возникло из-за различия стратегических взглядов между полководцами.

По старшинству и возрасту, по географической логике первым выступал Главсев, военачальник очень опытный, начинавший еще со Скобелевым, но слывший «осколком прошлого». Сам он, однако же, считал себя единственным трезво мыслящим и дальновидным стратегом российской армии. У него имелась собственная теория ведения войны, которую он пока держал при себе. Генерал полагал, что в боевых действиях нам германцев не одолеть. Враг во всех отношениях сильнее. Но у нас есть свои козыри: просторы, время и ресурсы. Воевать надобно отступательно, выматывая противника и пятясь хоть до Волги. Одним словом, по-кутузовски. Ввязываться в драку – только впустую проливать русскую кровушку. Главсев всё ждал, когда Главковерх поймет эту истину и призовет его в спасители отечества, как Александр Благословенный призвал старого Кутузова.

В том же смысле была и неспешная, с покашливанием, речь Главсева. Застряли немцы под Верденом – отлично. Воспользуемся этим, чтобы накопить сил. Союзники требуют активности? Что ж, давайте проведем демонстрацию силами нескольких корпусов.

Второй выступающий, Главзап, выразил готовность произвести решительное наступление против германцев, но при условии, что ему вдвое увеличат личный состав, втрое тяжелую артиллерию и вчетверо запас снарядов. Мартовские неудачи у озера Нарочь он объяснял скудостью предоставленных ему средств и низким качеством солдатского материала. Говорил генерал угрюмо, всем видом показывая, что он человек прямой, честный и неискательный. Главзап один из всех был по происхождению немец и помнил об этом каждую минуту. Потому и сказал про «качество материала», хотя знал, что государя это покоробит. Гордость не позволяла его высокопревосходительству изображать из себя ура-патриота.

Услышав про тяжелую артиллерию и снаряды, оживился генерал-инспектор. У него имелась своя тайная причина для страданий. Главарт был великим князем и подозревал, что в армии к его высокой должности относятся несерьезно, толкуя ее в нелестном для него смысле – получил-де не за дело, а за романовскую кровь. Поэтому его высочество не упускал случая продемонстрировать свою компетентность. Память у него, как у всех Романовых, была превосходная. С четверть часа Главарт запальчиво доказывал присутствующим, что его ведомство и так делает всё возможное, что дополнительных ресурсов взять негде, а о трех– или четырехкратном усилении Запфронта говорить просто смешно.

– Тогда я считаю наступление невозможным, – сказал Главзап, желая лаконичностью реплики выгодно оттенить многоречивость великого князя.

– Прошу вас, ваше высокопревосходительство, – пригласил Главштаб третьего командующего, сухопарого и щеголеватого генерала-от-кавалерии.

Юго-Западный фронт был значительно слабее Северного и Западного – противостоящих ему австрийцев считали силой не такой опасной, как немцы. Поэтому серьезных предложений от Главюгзапа не ждали.

– Не берусь говорить о других фронтах, ибо их не знаю, – сердито начал третий командующий.

Он вообще все время, с самого начала войны, пребывал в перманентном раздражении. Считал, что верховные начальники ведут войну неправильно (чтоб не сказать – бездарно). Надо поскорее браться за ум, иначе всё будет потеряно. Если Главсева можно было причислить к кутузовской школе военного искусства, то Главюгзап несомненно являлся убежденным последователем суворовской.

– Да, не берусь, – еще резче повторил он, готовясь сразу сказать главное. Тонкий ус, наполовину седой, подергивался на остром породистом лице. – Но Юго-Западный фронт, по моему убеждению, не только может, но и должен наступать. Полагаю, что у нас есть все шансы для успеха.

Эти слова он отчеканил со всей возможной отчетливостью, глядя только на государя. И умолк, ожидая вопросов.

«Солдатушки, не робѣть,
Веселѣй впередъ смотрѣть!
С нами наши о́тцы,
Мудры полководцы»

Главштабу этот аристократ никогда не нравился. Вот и сейчас подчеркнутое апеллирование к монарху показалось председательствующему бестактным. И неумным. Ведь всем отлично известно, что истинным предводителем российских армий является не царь, а он, Главштаб, мнением которого его величество руководствуется во всех стратегических вопросах.

Этот заслуженный генерал действительно был опытным полководцем. Весь смысл его жизни заключался в службе. Он, беспородный солдатский сын, в эпоху невиданных испытаний оказался у руля многомиллионной армии – эта мысль, с которой он просыпался каждое утро, делала его счастливым и прибавляла сил.

– Должен вас предупредить, генерал, что подкреплений для вас взять неоткуда, – сухо сказал невзрачный, скуластый Главштаб красавцу Главюгзапу. – Вы, должно быть, отвлеклись и не слышали?

– Я не прошу подкреплений. Обойдусь тем, что есть.

Надменный «паж» (про себя Главштаб называл генерала именно так, ибо тот когда-то окончил Пажеский корпус) по-прежнему смотрел только на государя.

– И сколько же времени вам понадобится на подготовку?

– Шесть недель.

Двое остальных главкомов скептически переглянулись.

– Ну хорошо-с. – Главштаб, иной раз нарочно подчеркивавший плебейскую простоту своей речи словоерсами, подошел к карте. – На каком участке думаете сконцентрировать силы?

– Еще не решил. К тому же не думаю, что следует утомлять его величество и господ генералов техническими подробностями. Дело оперативное, внутрифронтового масштаба.

Устремленный прямо на царя немигающий взгляд становился неприличен. Все знали: государь не любит, когда на него пристально смотрят.

Сам император на Главюгзапа глаз не поднимал, но, разумеется, понимал смысл молчаливого вопроса. Колючий генерал ждал решения лично от венценосца.

Опыта в стратегических материях у царя было в сто, если не в тысячу раз меньше, чем у окружавших его военачальников. Он и по погонам получался всего лишь полковником. Поэтому при важных обсуждениях обычно молчал, внимательно выслушивая все точки зрения. Руководствоваться старался не столько рассудком, который может подвести, сколько сердцем, наитием – его величество искренне верил в мистическую силу Помазания Божия.

Наконец он поднял голову, испытующе посмотрел на Главюгзапа. Прислушался к внутреннему голосу.

Медленно кивнул.

– Хорошо. Действуйте.

## ШТАБ ЮГО-ЗАПАДНОГО ФРОНТА. 10 АПРЕЛЯ

Игривое апрельское солнце пускало зайчики по всем мало-мальски блестящим поверхностям: полированному столу, хрустальной чернильнице, стеклу на портрете государя императора. Это озорничало приоткрытое окно, откуда в комнату поддувало свежим ветерком. Он покачивал раму, непоседливые пятна яркого света заставляли Козловского жмуриться, мешали концентрации.

А разговор был совершенно исключительной важности. Главнокомандующий начал с того, что коротко и сухо выразил удовлетворение работой контрразведочного управления, однако прозвучало это совсем не поощрительно, а скорее угрожающе, ибо закончил свою преамбулу генерал словами: «Но для задачи, которую я перед вами поставлю, обычной старательности и исправности будет недостаточно».

Подполковник знал, о чем пойдет речь. О грядущем наступлении. После возвращения из Могилева главком неделю почти не выходил из кабинета, только адъютанты с воспаленными от бессонницы глазами бегали взад-вперед – то на телеграфный пункт, то к радистам. Его высокопревосходительство в одиночку колдовал над планом операции. Первый, кого он к себе вызвал после ворожбы, был начальник контрразведки. Едва войдя в кабинет, князь сразу поглядел на стену, где висела карта фронта, но сегодня она была задвинута шторками.

– Говорят о наступлении? – вдруг спросил главком. – В войсках?

– Так точно, ваше высокопревосходительство.

Отвечая, Козловский сделал попытку подняться, но генерал ткнул в него пальцем – будто пригвоздил к креслу.

– Это хорошо. Повышает боевой дух. И плохо – противник насторожился. Удесятерит разведывательную активность. Учитывая ограниченность имеющихся в моем распоряжении ресурсов, главную ставку я делаю на фактор внезапности...

Подполковник понял, что беседа дошла до главного, подобрался.

– Все предыдущие попытки наступления проваливались из-за того, что противник заранее знал направление наших ударов. Если и в этот раз не удастся соблюсти секретность, нас разобьют. Положу сотни тысяч людей, а результата не добьюсь.

«Старик» говорил очень спокойно, тихо. У него была репутация сухаря, человека холодного и резкого. Штабные леденели под взглядом его медленных голубых глаз. Уважать уважали, но не любили. Гневаясь, генерал никогда не кричал – наоборот, понижал голос. Говорили, что и с высочайшим начальством он не церемонничает.

– Ваше управление должно обеспечить подготовке идеальное прикрытие.

Он приподнял брови, позволяя задать вопрос.

– Ваше высокопревосходительство, после того как меня... перевели сюда из Петрограда, – не совсем ловко выразился Козловский, имея в виду кадровую чехарду, случившуюся зимой после смены руководства контрразведки, – я сумел перетянуть на наш фронт лучших своих сотрудников. Уверен, что мы справимся с любой задачей. Однако я должен хорошо понимать ее конкретное содержание.

– Разумеется.

Главком встал и подошел к карте. Раздвинул занавески.

С изумлением князь увидел, что красных флажков, которыми обозначается направление ударов, что-то слишком много.

– Завтра начинается подготовка на 25 участках моего тысячеверстного фронта. Инженерно-саперные работы, движение войск, всевозможная активность. Цель сей суеты – сбить противника с толку. Гетцендорф не будет знать, к какой точке ему стягивать резервы. Этого пока никто кроме меня не знает. «Старик» вздохнул. Ткнул указкой в один из флажков и неохотно проскрипел. – Участок номер 12. Мы ударим здесь. Теперь это известно двоим: мне и вам. Завтра я посвящу в тайну начальника штаба и четырех генералов, которые возглавят прорыв. Дальнейшее расширение круга посвященных не предусмотрено. Вплоть до дня «Минус Два».

Козловский сделал движение – чуть приподнялся. Это означало: не понял?

– День «Минус Два» – 48 часов до начала наступления. Время, необходимое для размещения на огневых позициях тяжелой артиллерии и переброски подкреплений на передовую. За двое суток австрийцы, даже зная, откуда мы ударим, серьезных резервов подтянуть все равно не успеют. Теперь ваша задача ясна?

– Так точно. Отвести подозрение от участка 12.

– Но учтите: ваши люди не должны проявлять там никакой подозрительной активности. Нельзя резко увеличивать личный состав. Привлечение кадров со стороны может быть лишь самое минимальное, не бросающееся в глаза. Вам самому там появляться не следует. Разве что очень коротко, для видимости, как бы с обычной инспекцией. Понимаю, что все эти ограничения усложняют вашу работу. Однако у противника прекрасно налажена разведка во фронтовой полосе и в нашем ближнем тылу. Малейшая неосторожность чревата катастрофой.

Уяснив задачу, князь дальше слушал вполуха. Про австрийскую разведку и меры маскировки он, слава Богу, знал побольше его высокопревосходительства и уже начал прикидывать, как все устроить и кому поручить.

В дверь постучали. Заглянул старший адъютант, немолодой полковник.

– Ваше высокопревосходительство, вы велели предупредить...

Генерал досадливо скривил губы.

– Уже здесь? Ее императорское величество пожаловали. Пожелали оказать честь личным посещением.

Князь почтительно склонил голову. О приезде ее величества он, разумеется, знал. Царица объезжала эвакогоспитали на собственном санитарном поезде. Неудивительно, что изволила посетить и Главюгзапа.

– Как не вовремя! Мы с вами не закончили. – «Старик» показал в дальний угол. – Встаньте вон там. Долго это не продлится.

С тех пор, как государь, следуя голосу сердца и своему Божественному предназначению, лично возглавил обескровленную армию державы и перенес резиденцию в Могилев, управлением огромной империей занималась царица. Ей делали доклады руководители гражданских ведомств и губернаторы. Организацией тыла тоже ведала она. Все эти многотрудные обязанности ее величество исполняла старательно, с истинно немецким прилежанием и истинно православной верой в Промысел Господний, но по-настоящему государыне давало отраду лишь попечение над ранеными воинами.

Еще в начале войны она и ее старшие дочери прошли курс медицинского обучения и работали сестрами милосердия, не страшась крови и грязи. Лечебные учреждения, созданные императрицей, почитались образцовыми. И теперь, когда царица чувствовала, что изнемогает под бременем государственных забот, единственный отпуск, который она себе позволяла, заключался в инспекционных поездках по фронтовым госпиталям.

Всякую другую монархиню, столь самоотверженно трудящуюся ради отчизны, в народе бы боготворили. Но у ее величества не было дара вызывать любовь подданных. Все ее поступки истолковывались превратно, в самом благородном деянии видели лишь позу и фальшь.

Подполковник Козловский никогда не наблюдал императрицу вблизи, даже когда служил в гвардейской кавалерии. Поэтому, забравшись в угол кабинета и постаравшись слиться со шторой, он воззрился на открытую дверь с любопытством.

Послышался сдержанный гул голосов. Летящим шагом, который должен был знаменовать решительность и целеустремленность, вошла государыня. Она была в наряде милосердной сестры, с большим, но очень простым медным крестом на груди.

Главком склонил голову. Козловский вытянулся и спрятал палку, чтоб не бросалась в глаза. Он стеснялся своей хромоты.

Впрочем, августейшая особа в его сторону не посмотрела.

– Здравствуйте, милый, здравствуйте, – сказала она генералу с легким акцентом, но с совершенно русскими интонациями. – Ну что вы...

Это она не позволила поцеловать себе пальцы – взяла главкома обеими руками за кисть и прижала ее к своему сердцу.

– Знаю, всё знаю. Великую на себя ношу взвалили, храни и оберегай вас Господь!

Притянула плохо гнущегося генерала к себе, поцеловала в лоб.

«Зачем уж так-то?» – подумал подполковник. И заключил: «Хочет быть душевной, по-русски. Старается». И стало ему вдруг жалко повелительницу империи.

«Старик», деревянная душа, ни польщенным, ни растроганным не выглядел. Мог бы хоть видимость изобразить, из уважения к сану и полу. А он:

– Ваше величество, стоило ли утруждаться. Я бы сам явился к вам в вагон. Вот только дела срочные завершил бы...

В дверях и коридоре стояла многочисленная свита: военные в больших чинах, какие-то штатские господа, дамы.

– Дорогой вы мой, разве сейчас до церемоний? – сердечно молвила императрица. – Ну рассказывайте, что у вас происходит? Что наступление?

Обернувшись, она подала знак, и сопровождающие попятились. Адъютант снаружи прикрыл дверь.

– Я молюсь за успех вашего великого начинания денно и нощно! Как движется дело?

– Готовлюсь, ваше величество, – коротко ответил генерал.

Царица увидела карту с флажками. Подошла.

– Куда ударите? На Львов? На Перемышль?

Главнокомандующий изобразил простодушие – эта мина на его надменном лице выглядела крайне неубедительно.

– Пока еще не определился. Вот, сами изволите видеть: веду разведку на двадцати пяти участках.

Козловский не поверил собственным ушам. Лгать государыне? Невообразимо!

– А когда решите?

– За 48 часов до начала операции, – сказал он твердо и не отвел глаз от ее пристального взгляда.

После некоторого замешательства она спросила:

– Разве так бывает? Вы, верно, к чему-то все-таки склоняетесь?

– То к одному, ваше величество, то к другому.

Ее величество вспыхнула. На бледных щеках проступили красноватые пятна. С лица сползло выражение сердечности, и оно сразу стало более естественным. Неприязненно, с горькой обидой царица смотрела на полководца. Козловский переступил с ноги на ногу, ему хотелось провалиться сквозь землю, только бы не присутствовать при затянувшейся мучительной паузе.

Движение привлекло внимание императрицы. Она взглянула на незнакомого офицера. Он щелкнул каблуками – кивнула. Представлять подчиненного главком не стал, ибо невелика птица.

– Всеподданнейше признателен за высокую честь, – сказал Старик тоном, означавшим: шли бы вы с Богом, ваше величество, мешаете работать.

Князь снова поежился. А императрица – вот что значит выдержка и королевское воспитание – улыбнулась грустно и снисходительно. «Знаю, что меня не любят, – значила улыбка, – но Господь вам всем судья».

Из подвешенного к поясу ридикюля она вынула образок на цепочке.

– Вы заняты, не стану больше отнимать у вас времени. Я, собственно, хотела лишь вручить вам образок святого Николая-чудотворца. Пусть он принесет вам победу.

Императрица повесила иконку на шею почтительно склонившемуся генералу, вновь поцеловала его в лоб, но губами не коснулась. Перекрестила, повернулась, вышла.

Страдая за нее всем сердцем, подполковник как можно громче щелкнул каблуками и вытянулся прямее собственной трости. Не из угодливости, а желая хоть как-то загладить грубость начальника. Но царица шла к двери, низко опустив голову, и на офицера не смотрела.

– Все ей надо знать, – проворчал главком, когда они с Козловским остались наедине. – Чего захотела! Направление удара ей сообщи.

– Но ведь императрица! – не сдержался князь.

И немедленно за это получил.

– Хоть сам император, – ожег его ледяным взглядом «Старик». – Вы плохо меня слушали, подполковник. О направлении удара до самого последнего момента будут знать лишь семь человек: вы, я, начальник моего штаба, командующий и начштаба Восьмой

«Изыди, праведныхъ гонитель!
Не соблазни, не искуси!
Хранитъ Небесный Покровитель
Святое воинство Руси!»

армии, командир ударного корпуса и начальник артиллерии. Ясно?

– Так точно, ваше высокопревосходительство!

– Ну, и еще Николай-чудотворец, разумеется. – Главком скосил глаза на образок, поцеловал его и убрал под китель. – Но довольно лирики. Смотрите вот сюда. – Указка уперлась в точку с надписью «мест. Русиновка». – Именно на этом десятикилометровом отрезке близ местечка Русиновка мы сосредоточим всю мощь артиллерии и наш ударный кулак. Я выбрал участок фронта, занимаемый «швейцарской» дивизией, потому что у австрийцев она считается небоеспособной и оборона там слабо эшелонирована.

От груза новостей, от нервной сцены, свидетелем которой он только что стал, Козловский несколько смешался. «Какой еще швейцарской? – подумал он. – Швейцария вступила в войну и прислала нам дивизию? Не может быть, я бы знал!»

– Виноват?

– 74-ой пехотной, – нетерпеливо пояснил генерал.

Князю стало стыдно собственной несообразительности. 74-ая пехотная дивизия была укомплектована из питерских швейцаров и дворников, которых на исходе второго года войны мобилизовали в действующую армию. Про это соединение рассказывали, что окопы там чисто выметены, в блиндажах и землянках ни соринки. Везде царит идеальный порядок. Только в атаку дивизия ходить не любит. «Ура!» кричит громко и дружно, а из траншей не вылезает.

– В последние двое суток «швейцаров» мы выведем в резерв, а вместо них запустим гренадеров и сибирцев, – продолжил Старик. – Но до того времени придется вам использовать их штатное отделение контрразведки. Вам самому, повторяю, мелькать там незачем, это наверняка привлечет внимание австрийских шпионов.

Он тяжело вздохнул и тоном скупого рыцаря, вынужденного расстаться с дублоном, буркнул:

– Ладно, можете посвятить в тайну офицера, который будет работать на месте. Он будет восьмым посвященным. Есть у вас кто-нибудь подходящий? Скромный, не привлекающий внимания?

У Козловского ответ был готов.

– Так точно, есть. Именно какой надо. Годами зелен, вида несолидного. На него никто особенного внимания не обратит. Но инициативен, точен. Одно слово – математик. Участвовал в очень серьезных операциях. Его зовут...

– Меня не интересует, как зовут исполнителя, – оборвал князя главнокомандующий. – Довольно, что я знаю вас. С вас, если что, и спрошу.

# «ШВЕЙЦАРСКАЯ» ДИВИЗИЯ. 17 АПРЕЛЯ

На передовой было тихо. Никто не стрелял, над зигзагами траншей, над нейтральной полосой весело насвистывали птички. Но офицер, двигавшийся со стороны тыла по ходам сообщений, сильно нервничал. Чем ближе была первая линия обороны, тем неуверенней становились его движения. Поручик то и дело с опаской прищуривался на вражеские позиции (они таились где-то у опушки леса, темнеющего на дальнем краю поля), прижимал к себе большой кожаный планшет.

По дороге ему встретился вестовой, спешивший куда-то с поручением. Офицер спросил, где полковой адъютант. Солдат махнул в сторону передовой, куда поручику идти ужасно не хотелось. Он тяжело вздохнул, поколебался, но посмотрел на часы и, выругавшись, все-таки пошел.

Время было раннее, послерассветное. В окопах не наблюдалось никаких признаков жизни. Тыловику, как на грех, никто больше не встретился. Он запутался в поворотах и уж думал повернуть обратно, но у начала узкой траншеи, что тянулась к небольшому холму, увидел штабс-капитана с лихо закрученными усами и мятой физиономией. Тот крепко спал, устроившись на деревянной скамеечке и привалившись к стенке.

– Позвольте, где я могу найти адъю... – начал поручик, но спящий всхрапнул и грозно сдвинул брови.

Тут заблудившийся увидел на высотке какое-то движение и решил, что близок к цели. Вдали сварливо прострекотал пулемет. Тыловик присел. Ему очень хотелось побыстрее покончить с делом, приведшим его в эти нехорошие места.

Рысцой, пригнувшись, он побежал вперед.

На холме был оборудован наблюдательный пункт. Точно такой же окоп, как все остальные, но пошире и прикрытый сверху маскировочной сеткой с фальшивыми зелеными листьями. У сдвоенной перископической трубы плечом к плечу стояли четверо солдат в мятых папахах и перепачканных глиной шинелях. Этаких чучел увидишь только на передовой.

Поодаль топтался стройный молодой подпоручик в аккуратной полевой форме, что-то чиркал в блокноте.

Никакого адъютанта тут не было.

Разозлившись, что напрасно залез к черту в пекло (поручик был уверен, что его жизни угрожает ежесекундная опасность), он топнул ногой. Получилось довольно звонко – сапог стоял в луже.

Молодой офицерик быстро обернулся, переменился в лице.

Подскочив к чужаку, взял его за локоть и хотел вывести обратно в траншею. Да еще шепнул, яростно:

– Вы как сюда попали? Кто пустил?

Тон поручику не понравился. Он с возмущением высвободился:

– Я из штаба дивизии! Из хозяйственного отдела! Ваш полк не сдал отчетную ведомость за неделю, а я из-за этого должен рисковать жизнью! Где ваш полковой адъютант Селезнев?

Вообще-то поручик сам был виноват, что вовремя не истребовал ведомость. За это получил нагоняй и в наказание был отправлен за треклятой бумажкой на передовую. Но мальчишке-подпоручику эти подробности знать ни к чему.

На громкий голос оглянулся один из нижних чинов. Солдат был пожилой, лет пятьдесят, с пегой бородой. Не подтянулся, не откозырял, а только недовольно поморщился и снова отвернулся.

«Повернитесь-ка, калики перехожие!
Что-то стать у васъ въ плечахъ немонастырская,
Сами ладные, румяные, пригожие,
не упрячется въ васъ сила богатырская»

– Паччему ваши солдаты не приветствуют офицера? – окончательно вышел из себя интендант. – Распустились, псы окопные!

Теперь на него обернулись и трое остальных оборванцев. Были они какие-то странные. Один с холеными усиками, другой в золотом пенсне, третий вообще с моноклем. И у каждого на ремешке по мощному биноклю. В руке у того, что с усиками, сверкнул алмазной монограммой портсигар – солдат как раз засовывал его в карман брюк. Шинель завернулась. Похолодевший тыловик увидел алый генеральский лампас. Встал «смирно».

– Виноват, ваше превос... Прошу извинить... – залепетал он.

А тот, что в пенсне, кажется, командир корпуса? Он, точно он!

– Прочь подите, прочь! – шипел на бедного поручика офицерик.

Кинув руку к фуражке, тыловик пулей вылетел обратно в ход сообщения.

– Ваше превосходительство, – чуть не плача сказал подпоручик усатому. – Я же говорил: брюки тоже надо переодеть!

– Поучите меня, мальчишка! – рокотнул генерал, но шинель запахнул.

– Подпоручик прав, Павел Васильевич, – укорил его командующий армией. – Непростительная небрежность. Однако не будем отвлекаться. Итак, квадрат шесть-зет...

Вся четверка дружно вскинула бинокли.

Алексей быстро шел от наблюдательного пункта по траншее, зовя свистящим шепотом:

– Штабс-капитан Жилин! Жилин!

Из-за Жилина, начальника дивизионного контрразведочного отделения, случилось чрезвычайное происшествие, ставящее под угрозу всю операцию. Никто, ни одна живая душа не должна была видеть на высоте высоких начальников. Личный состав батальона, занимающего этот сектор, специально вывели на молебен, рискнув оголить окопы – благо затишье. И вдруг чужой!

С штабс-капитаном Романову здорово не повезло. Поскольку увеличивать штат отделения было нельзя, Козловский велел своему эмиссару обходиться наличными кадрами. Сам Алексей прибыл к «швейцарам» под видом стажера, с него хотели для пущей незаметности даже одну звездочку снять, но потом решили, что подпоручик и так сошка мелкая.

Начальник отделения был извещен о том, что поступает в полное распоряжение «стажера», которому поручено какое-то секретное задание. Больше Жилин ничего не знал. Правду сказать, он и не слишком интересовался. Человек это был совсем пустой, глупый. При нем состояли старший унтер-офицер и несколько солдат, так те были много толковей своего предводителя.

Очень скоро Алеша понял, что Жилину ничего сложного поручать нельзя. Потому и приставил его сегодня к делу самому простому: караулить вход в траншею и никого ни под каким видом не пропускать. Любой нижний чин бы справился!

Штабс-капитан выскочил из-за поворота, хлопая заспанными глазами. Неужели дрых?!

– Я здесь! Как лист перед травой! – хрипло доложил Жилин. – Все в порядке. Никто не появлялся.

Из хода сообщения вынырнул старший унтер-офицер Семен Слива, его помощник.

– Ваше благородие, отсюда только что вышел посторонний! – сообщил он. – Чумной какой-то, мимо протопал – не заметил!

Вот на унтера Алексей просто нарадоваться не мог. Поглядеть – солдафон солдафоном: дубленая рожа, огромные кулаки. Прямо унтер Пришибеев. А на самом деле сообразителен, проворен, отлично знает местность. До войны служил здесь в пограничной страже. Его прислали из глубинки, когда проводилась кампания по замене прежнего личного состава, прикормленного контрабандистами.

Субъект он был своеобразный, с характером. «Хохлов» презирал, называл дураками. Ему все в них не нравилось – даже, что мало водки пьют. Слива, впрочем, почти всех считал дураками и себе не ровней. Заслужить у него уважение Романову удалось не сразу. Когда же унтер все-таки признал нового начальника, на Жилина вообще перестал обращать внимание. Он и сейчас глядел только на подпоручика, будто они здесь находились вдвоем.

– Кто таков? Знаете? – спросил Алеша.

– Так точно, видел в Русиновке. В штабе дивизии.

Слива всегда всё знал, даже удивительно.

– А я говорил, ваше благородие, меня в караул поставьте, – сказал он с упреком. – У меня бы мыша не прошмыгнула.

Подумал, поправился:

– Мышь.

Как человек самолюбивый, он стеснялся своей необразованности, старался говорить чисто и грамотно, но не всегда получалось. На днях у Романова состоялся с ним примечательный разговор. Восхищенный сметкой и распорядительностью помощника, Алексей сказал, что ему надо поступить на курсы прапорщиков – из него выйдет отличный офицер.

– Предлагали уже. Отказался, – ответил Слива.

– Почему?

– Лучше быть умным среди унтеров, чем дураком среди офицеров.

Такой вот, в общем, Слива.

– Не иначе уснули они, – сурово сказал он, покосившись на Жилина.

Штабс-капитан понял, что отпираться бессмысленно.

На его несвежей физиономии расползлась сконфуженная улыбка.

– Может, и забылся на минутку, – признал он весело, словно речь шла о пустяке. – Многовато мы с вами, Романов, вчера горилки выпили. У Мавкито, а?

И еще подмигнул, скотина.

# ВЧЕРА ВЕЧЕРОМ

Главное, пил-то он один. Сам и бутылку притащил. Романов к спиртному не притронулся, хозяйка тем более. Она была барышня строгая, держала дистанцию. С таким секретным агентом Алексей, пожалуй, сталкивался впервые.

Докладывая положение дел на вверенном ему участке, Жилин похвастал, что у него имеется особенно ценный сотрудник, вернее, сотрудница – двойной агент. Что он-де выследил австрийскую шпионку, припер ее к стенке и вынудил работать на нас, не порывая отношений с противником.

Романова этот контакт заинтересовал. Через двойного агента удобно заслать врагу ложную информацию. Среди прочих мер по прикрытию готовящегося наступления эта была, конечно, не первой и не второй степени важности, но пренебрегать подобным шансом не следовало.

Вчера вечером, покончив с общим устройством системы наблюдения, Алексей попросил штабс-капитана свести его с сотрудницей.

Та служила в Русиновке учительницей, жила одна в нарядном, чистом домике близ окраины местечка. От Жилина было известно, что это «щирая украинка», ведет в школе уроки исключительно на «мове», заручившись на то специальным разрешением от инспектора народных училищ. Собою, по выражению поручика, «прелестная бонбошка». Звать Мавка, что по-украински означает «русалка».

– Только уговор, – сказал Жилин, – вы к ней не подкатывайтесь. Я сам веду правильную осаду, давно уже. И имею успехи – она мне глазки строит.

Насчет глазок он наврал, это сразу стало ясно.

Учительница встретила нежданных гостей настороженно, а на развязного штабс-капитана смотрела, не скрывая неприязни.

Спутника Жилин представил стажером и своим младшим товарищем, болтал всякую чепуху, пил водку рюмку за рюмкой.

Хозяйка же говорила немного. Была она действительно очень хороша. Высокая, статная, полногрудая. Черные косы сложены на затылке в кольцо, густые брови прочерчены идеально ровными дугами, а кожа белая, чудесного молочного оттенка. Из-под

«Великая и Малая Россіи —
Какъ сестры подъ державою царя!
Они союзъ свой кровью оросили,
Навѣкъ другъ дружке преданность даря!»

длинных ресниц на офицеров поглядывали карие насмешливые глаза. Нет, на двойного шпиона, существо вороватое и затравленное, она была совсем не похожа.

Ей удивительно шел национальный наряд – юбка с узором, расшитая рубашка с широкими рукавами, серебряные мониста. Такую кралю хоть на сцену выпускай, в опере «Наталка-полтавка», думал Алеша.

Он старался не отставать от Жилина – если не в питье, то в нахальстве. Изображал глуповатого хлыща, который распускает перья перед смазливой девицей. Если штабс-капитана заносило и он начинал болтать лишнее, Алеша поминал грозного подполковника Козловского. Когда-то Жилин получил от князя хорошую взбучку за плохую работу и с тех пор боялся начальника управления как огня. Романов тоже делал вид, что страшнее Лавра Константиновича зверя нет. Мол, этот безжалостный сатрап может человека в пыль растереть. На поручика такие речи действовали правильно – он на время затыкался.

В середине вечера изрядно набравшийся болтун вышел на двор, и Романов подумал, что фанфарон-подпоручик непременно воспользовался бы этим, чтобы поприставать к хозяйке. Иначе не получится правды характера.

Он придвинул стул, словно ненароком положил руку учительнице на плечо.

– Прелестная Русалка, я хочу знать всех австрийцев, кто с вами работал, поименно.

Она спокойно отодвинулась, сбросив его ладонь.

– Я уже всех называла господину капитану. Но если вам тоже нужно, извольте...

И перечислила несколько имен (все они были Алексею известны). По-русски Мавка изъяснялась правильно, совершенно не вставляя малороссийских слов. Выговор был мягкий, певучий, производивший впечатление не провинциальности, а скорее легкого иностранного акцента.

С важным видом, посекундно кивая, он записал всё в блокнот. Снова придвинулся, потерся об нее коленом.

– Мне уж дальше ретироваться некуда. В стену уперлась, – сказала Мавка. – Отползайте обратно, господин подпоручик.

Он хихикнул – и с облегчением отодвинулся.

– Завидую Жилину, – игриво заметил Алексей. – Как это ему удалось подловить такую оборотистую паненку? На чем он вас поймал?

С этого момента началось любопытное.

– Жилин? Меня? – Чудесные брови поднялись еще круче. – С чего вы взяли? Да если б господин капитан поймал меня на шпионаже, он бы первым делом в постель меня затащил, а уж потом о вербовке подумал.

Черт, а ведь верно, подумал Романов.

– Значит, он вас не перевербовывал?

– Нет. Я сама явилась и сказала, что раньше работала на австрийцев, а ныне хочу им вредить.

Разговор принял интересное направление. Изображать болвана становилось все трудней.

– Не пойму я вас что-то. Красивая особа, могли бы составить блестящую партию. Зачем вам понадобилось связываться с австрийской разведкой? И почему потом решили предложить услуги нам? Не из-за денег же?

Серьезность вопроса Алеша компенсировал идиотским подмигиванием, плюс к тому еще икнул.

Ответила она так, будто перед ней сидел не наглый и глупый мальчишка, а равноценный собеседник. В этом тоже чувствовалось неподдельное внутреннее достоинство. Подпоручика всё больше начинала интриговать эта молодая женщина.

– Я украинка и люблю Украину, – сказала Мавка, глядя на офицера спокойными глазами. – А ваших не люблю. Истинные наследники киевской Руси – это мы, а не ваша угорско-татарская империя. С австрийцами я стала сотрудничать, потому что они обещали в случае победы создать украинское государство. Когда же я поняла, что они врут, выбрала из двух зол меньшее. По крайней мере, вы тоже славяне и тоже православные. Если самостийность невозможна, лучше уж быть под Романовыми, чем под Габсбургами.

Что-то здесь не так, внутренне насторожился Алексей. Двойные агенты так не разговаривают! А не устроить ли тебе, голубушка, маленькую проверку?

– Это очень существенно – то, что вы говорите, мадемуазель, – сказал он, приняв преувеличенно серьезный вид. – Я должен всё записать для отчета. В этот блокнот я записываю самое важное. Вы не думайте, что я просто стажер, и всё. Это я Жилину сказал, потому что он, извините, глуп, как пень. А на самом деле у меня особое задание. И с вами мы еще, ик, поработаем. Но тс-с-с!

Он приложил палец к губам – со двора шел штабс-капитан – и спрятал блокнот в карман кителя. Лихо запрокинул голову, делая вид, что осушает рюмку (на самом деле она была почти пуста), и жизнерадостно приветствовал возвращение товарища.

Сидели еще долго. Жилин совсем напился. Алексей, по-прежнему изображая хама, снял и повесил китель на спинку. Когда штабс-капитан сомлел и повесил голову, Романов сказал: «Пардон-с, отлучусь-ка и я». Вышел в одной рубашке, постоял во дворе минут пять, вернулся.

Потом, у себя на квартире, проверил. Блокнот открывали и перелистывали. Ничего важного там не было, но теперь можно было считать установленным фактом: Мавка действительно двойной агент, только истинными ее хозяевами являются австрийцы. Невысокого же она мнения о русских контрразведчиках, если работает так грубо. Но тем лучше.

Канал для передачи дезинформации оказался перспективней, чем думалось вначале. Нужно только аккуратно вести свою линию. Донесение шпионки о том, что в 74-ую дивизию прислан с каким-то заданием идиот-подпоручик, это, конечно, мелочь. Но пусть она станет лишней обманкой для австрийцев, которые изо всех сил сейчас пытаются угадать, на котором из двадцати пяти участков готовится удар. На каждый из управления прислан такой вот «стажер». И враги, естественно, постараются собрать максимум сведений об этих посланцах: чин, возраст, манера поведения. Резонно предположить, что болвану вроде подпоручика Романова сверхответственного дела не поручат.

Выходило, что минувший вечер проведен с пользой.

– Понравилась вам моя русалочка? – всё пробовал обратить происшествие в шутку Жилин. – Я приметил, как вы глазами на ее бюст постреливали.

– Кто был этот человек? – спросил Романов унтера, даже не повернувшись.

Слива не затруднился с ответом:

– Поручик Аничкин, интендант из хозяйственного отдела.

И скривил губы. К интендантам он относился с презрением.

Алеша длинно выругался. Не столь давно он обнаружил, что матерная брань – отличное средство разрядить излишнее нервное напряжение, а нервозности в службе контрразведчика хватало.

По крепости и заковыристости ругательства (спасибо учителю, князю Козловскому) растяпа Жилин догадался, что отделаться пустым трепом не удастся. Глаза штабс-капитана тревожно забегали.

– Аничкин? – воскликнул он. – Из хозяйственного? Что ж ты, Семен, сразу не сказал? Всё в порядке, Романов, тут не о чем беспокоиться. Это мой агент. Я его сейчас догоню и прикажу помалкивать.

– Ваш агент? – Алексей был поражен. – Позвольте, но кто вам позволил вербовать офицеров? Это запрещено уставом контрразведки!

Жилин с важностью тронул ус:

– Кроме внешнего врага есть еще и внутренний. А кроме военных дел – политические. Тут мало в одну сторону глядеть.

Подпоручик поморщился:

– Вы хотите сказать, что обслуживаете Охранное отделение?

Некоторые офицеры контрразведки, особенно переведенные из Департамента полиции или Жандармского корпуса, имели двойное подчинение, заодно работая на Охранку, однако бравировать этим было не заведено.

– Всё будет ажурно. – Жилин шлепнул себя по губам. – Запечатаю Аничкину уста – будет нем как рыба. А что там, на высоте-то? Кто эти четверо?

– Неважно! Агента этого вашего немедленно отправьте в штаб фронта, к подполковнику Козловскому. Сей же час!

На окрик Жилин было ощерился, но вспомнил, что кругом виноват, и рысцой побежал догонять штабного.

– Бесится, что в подчинение к вам попал, – сказал Слива. – Как же, у его четыре звездочки, а у вас только две.

– Значит, попрошу себе другого помощника. У кого звездочек меньше.

Романов и так уже решил, что с этим кретином работать больше не станет. Прямо сегодня протелефонирует князю и потребует замену.

А обруганный Жилин бежал по ходам сообщений и яростно шептал: «Молокосос! Сволочь питерская! При нижнем чине!»

Поручика он нагнал уже за рощей, неподалеку от полкового командного пункта.

– Эй, как вас, стойте!

Офицер остановился, с удивлением глядя на усатого, которого недавно видел спящим в окопе. Насчет агента Жилин, разумеется, наврал.

– Это вы сейчас были вон у той высотки?

– Ну допустим.

Тон незнакомца поручику не понравился.

– Жандармского корпуса Жилин, – небрежно назвался штабс-капитан. – Начальник отделения контрразведки. Можете не представляться. Я знаю, кто вы.

Контрразведчиков, да еще из жандармов, Аничкин побаивался. Такой напишет кляузу или шепнет начальству – и пойдешь на передовую, под пули.

– В чем дело? – насторожился он.

– Забудьте то, что вы видели на высоте, ясно? Иначе – военно-полевой суд.

Поручик замигал. Мозги у него работали неплохо.

– Уже забыл. – И, понизив голос. – Что, наступать будут? Прямо тут?

Жилин его не слушал, он хотел отыграться на этом тюфяке за недавнее унижение.

– Вы уже в пяти минутах от военно-полевого, – зашипел он. – Ясно?

– Да что я такого сделал?!

– У вас шестьдесят минут на то, чтобы собраться и сдать дела. Немедленно отправляйтесь в штаб фронта, к подполковнику князю Козловскому. Ему о вас протелефонируют.

Интендант побледнел. Потом снова порозовел. Ход его быстрых мыслей был таков: «Если наступление, то чем дальше отсюда, тем лучше».

– Через час проверю. Если не отбыли – отправлю под конвоем, – пригрозил контрразведчик.

Сорок пять минут спустя запыхавшийся Аничкин, уже с чемоданом, заскочил к себе в отдел забрать из стола личные принадлежности. До Русиновки он домчал на попутном грузовике, начальству сказал лишь, что срочно вызван в штаб фронта. Настроение у интенданта делалось все лучше. В конце концов ничего ужасного он не натворил, а если ради секретности его желают упечь в карантин, он не против. Хоть до конца войны, ради Бога.

Хозяйственный отдел 74-ой дивизии располагался в здании волостной ссудной кассы, одноэтажном доме с железной крышей. Как все остальные помещения, занятые штабными подразделениями, всё здесь сверкало и сияло. Служба в Русиновке у бывших блюстителей столичной чистоты почиталась величайшим счастьем, и те, кто попадал в это тихое место, разбивались в лепешку, только бы остаться при штабе. Степенные, животастые солдаты, все сплошь либо бородатые (это были дворники), либо с большущими бакенбардами (швейцары), с утра до вечера драили медные ручки, полировали и вощили до блеска дощатые полы, красили стены, белили потолки. Ни в какой гвардейской казарме, хоть бы даже в аракчеевские времена, еще не бывало столь ослепительного порядка.

Все же не без печали оглядел Аничкин большую комнату, в которой провоевал несколько тихих месяцев. Где еще столы будут расставлены в геометрически безупречном ордере? Где так любовно вычертят многочисленные графики и пособия по мудреному интендантскому делу, все эти «Предельные цены закупки мяса у населения», «Сортировки фуража», «Расчеты фронтовых надбавок для обер-офицеров» и прочее?

Поручик наскоро выгреб из стола свое имущество: цветные карандаши, линейки, огромную по военному времени редкость – немецкие красные чернила.

За соседним столом сидел прапорщик Петренко, ведавший банно-прачечным хозяйством. Человек он был славный, добродушный, и на вид приятен: хорошие уютные усы подковой, ямочка на подбородке, запах душистого самосада. Грех с таким не попрощаться.

Начальник, чей стол был установлен на возвышении, частных разговоров в присутствии не дозволял. Поэтому Аничкин дождался, когда полковник станет диктовать писарю-ремингтонисту какую-то бумагу, и шепотом сказал:

«Будь званья своего достоинъ,
Россійскій православный воинъ!
Враги не только впереди,
Гляди вокругъ себя – и бди!»

– Ну, Афанасий Никитич, прощайте. Убываю.

– Шо так? – не слишком удивился Петренко (он был из Житомира, выговаривал слова на малороссийский лад). – Неужто отпуск дали?

– Как же, дождешься от них. И вам не дадут, теперь уж точно. – Поручик нагнулся ближе. – Наступление у нас будет. Я на переднем крае командира корпуса видел, и с ним еще трех генералов. Так что держитесь. Буду за вас Бога молить.

– Наступление так наступление, наше дело маленькое, – равнодушно молвил прапорщик, водя карандашом по ведомости. – А вам, Северьян Антонович, счастливого пути и хорошей должности.

После того как Аничкин отбыл, банно-прачечный прапорщик просидел над ведомостью совсем недолго. Задумался что-то, заерзал. Подошел к полковнику, сказал, что надобно проверить, как работают новые вошебойки.

– Ну так идите и проверьте. Я что ль за вас буду вшей истреблять? – раздраженно сказал начальник.

Ну, Петренко и пошел. По роду занятий ему часто приходилось отлучаться.

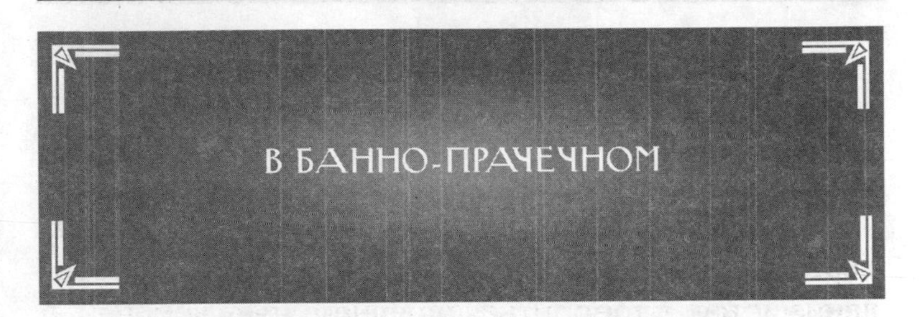

## В БАННО-ПРАЧЕЧНОМ

Дивизионная прачечная соответствовала своему названию лишь частично. Обстирывали здесь только офицеров штаба, да и то в порядке личной любезности славного Афанасия Никитича, а вообще-то сей важный санитарный объект предназначался для задачи более ответственной: истреблял из обмундирования паразитов, грозящих личному составу сыпным тифом. Недавно поступили новые модернизированные котлы, сразу окрещенные «вошебойками». Их испытывала команда солдат под предводительством пожилого фельдфебеля.

На свежей весенней травке в три параллельных ряда, как по линейке, было разложено исподнее белье.

– Ну шо, Савчук? – спросил прапорщик, садясь на корточки и щупая подштанники. – Ишь ты, она и стирает недурно. Белые-то какие.

– Энта обстоятельней прежней, – признал фельдфебель, пряча за спину цигарку – он как раз собирался со вкусом подымить. – Хотя и та была ничего себе.

Вошебойки в прачечной проверяли уже третью неделю – неторопливо, со вкусом. Дело было хорошее, чистое, а торопиться особенно некуда.

– Э, брат, что это ты весь двор захламил? – Петренко распрямился, поглядел вокруг. – Лошадь проскачет, копытом в лужу топнет – белье забрызгает.

– Завсегда так ложили, Афанасий Никитич.

– «Завсегда». А сегодня переложи. Видишь, солнышком грязюку растопило. Вот эти поперек нехай будут, – показал прапорщик на средний ряд сохнущего белья. – И места меньше займет, и не запачкается. Старый солдат, сам соображать должен.

Фельдфебель заворчал:

– А завтра сызнова велите по-старому ложить? Лучше бы рогожу достали, постелить. От травы вон зеленится всё.

– Ничего, солдату в этих подштанниках не на танцы ходить. Давай-давай, перекладывай.

Савчук пошел распорядиться, бормоча:

– Удумал, сам не знает чего...

# НОВЫЙ ПОМОЩНИК

Ну что, казалось бы, за фигура пехотный подпоручик? Крохотный винтик в гигантском механизме целого фронта. Однако на Алексея сейчас работало всё управление. Никогда еще он не чувствовал себя персоной до такой степени значительной. Довольно было нескольких слов по телефону, и штабс-капитан Жилин исчез, будто скверный сон, а еще через пару часов в распоряжение Романова примчался на мотоцикле новый помощник. Заодно доставил приказ о назначении подпоручика временно исправляющим должность начальника дивизионного отделения контрразведки. Это должно было упростить выполнение порученного дела.

Новый помощник был с одной звездочкой и выглядел так, словно едва сошел с гимназической скамьи. Так оно почти и было. Прапорщик Калинкин только что окончил ускоренные шестимесячные курсы, где в прошлом году отучился и Алеша. Но за этот год многое в армии переменилось. Раньше на курсы контрразведчиков не брали мальчишек безо всякого военного опыта. Но в недоброй памяти 1915-ом армия понесла столь тяжкие потери в командном составе младшего и среднего звена, что пришлось пересмотреть всю концепцию офицерского корпуса. Никогда больше это сословие не будет являться белой костью, замкнутой кастой Российской империи. Наскоро созданные курсы и школы тысячами выпускали на фронт свежеиспеченных прапорщиков из числа вчерашних студентов, унтеров, а то и гимназистов.

Калинкину, например, как узнал Алексей из формуляра, недавно исполнилось девятнадцать. Выглядел он того юнее – еще пушок с нежных щек не сошел. Когда представлялся начальнику, от смущения весь зарозовел. Однако из того же формуляра следовало, что курс он закончил первым учеником и, хотя имел право выбрать место службы, попросился не в центральный аппарат, а на фронт. И потом, Лавр не прислал бы на такую ответственную работу человека никчемного. Романов решил отнестись к Калинкину с полным доверием. В конце концов, и сам Алеша полтора года назад, начав работу в контрразведке, был таким же одуванчиком, да еще безо всяких курсов.

Для начала подпоручик показал коллеге свое хозяйство.

Оно было выстроено тонко – с таким расчетом, чтобы держать под контролем все уязвимые точки, но при этом не привлекать к себе внимания. Сев за спину к прапорщику, Романов показывал, куда ехать.

– Вы будете опекать Русиновку. Тут расквартирован штаб дивизии. Это наиболее ответственный участок, сам я тоже бо́льшую часть времени провожу здесь. Смотрите, Калинкин, и запоминайте.

– Меня Васей зовут, – сказал прапорщик, поворачивая голову в мотоциклетных очках.

– А я Алексей.

Сразу, очень просто, перешли на «ты»

– У тебя в ведении три наблюдательных пункта, на каждом постоянно дежурит по солдату. Все толковые, но контроль лишним не бывает.

Сгоняли на холм, откуда дозорный с биноклем просматривал все подходы и подъезды к местечку. Должен был докладывать о любом подозрительном перемещении – для этого в его распоряжении имелся полевой телефон. Потом съездили к мосту, там был устроен секрет. Третьим пунктом числилась колокольня. С нее дежурный вел наблюдение за всем, что происходило на территории штаба.

– Это только часть системы обнаружения нестандартной активности, – рассказывал Романов. Приятно было иметь дело не с тупицей Жилиным, а с грамотным офицером, знакомым со специальной терминологией. – В каждом батальоне и каждом тыловом подразделении есть «следящие». Если возникнет необходимость, через час из уезда прибудет «студебекер» с боевой группой. Кроме телефонной связи в нашем распоряжении радиостанция – для передачи шифровок, но она для конспирации расположена на территории соседней дивизии. Теперь про связь с агентурной разведкой...

Они слезли с мотоцикла у церкви, что стояла посередине местечка, на площади.

– Тут восемьдесят две ступеньки, – предупредил Романов. – Твой предшественник чаще одного раза в день не утруждался.

– Это мне нипочем.

Прапорщик легко поскакал вверх по винтовой лестнице. Алеша, улыбаясь, следовал за ним. Оба поднялись, почти не запыхавшись.

– Здорово, Горюнов, – приветствовал подпоручик дежурного ефрейтора. – Привел тебе нового командира.

Калинкин, молодец, поздоровался с нижним чином за руку. Это его на курсах научили: у контрразведчиков званиями не задаются, чинами не чинятся, все друг другу товарищи.

В небе над местечком выписывал медленные круги вражеский аэроплан. По нему так же лениво постреливало зенитное орудие – чтоб не наглел. Среди больших облаков появлялись маленькие – от разорвавшейся шрапнели.

– Как по часам, – сказал ефрейтор. – Завсегда в час пополудни прилетает.

Он развернул тетрадку, готовый докладывать.

– Значится, так. Я заступил на смену с четырех ноль ноль. В 4.32 ночи вон там, третий дом от околицы, под журавлем, из трубы искрило здорово. Сажа горела, что ли. А может, сигналили фонариком через дымоход. Я потому отметил, что как раз об это время в небе тоже ероплан шумел. По звуку судить, австрийский.

– Проверишь хату – кто там и что, – сказал прапорщику Алеша. Тот и так уже записал себе.

Наблюдатель докладывал дальше.

– Без десяти шесть, это уже светло было, в квадрате 18, где рощица, дым был. Столбом, высокий. Не мой участок, но я на всякий случай.

– Правильно. Мне уже докладывали с девятого. Я проверил – кашевары это из саперного батальона.

Слушая, Алексей времени даром не терял – осматривал в бинокль Русиновку, которая отсюда вся была как на ладони.

– А это у тебя что? – показал он пальцем.

– В прачечном отряде. Всего полчаса как. Не успел доложить. Последним номером в моем списке обозначено, на 12.25. Белье переложили зачем-то.

Романов задрал голову, поглядел на аэроплан. Тот, качнув крыльями, перестал кружить над местечком. Поплыл восвояси.

– Ну-ка, Вася, за мной!

## ЧТО ЗА ПЕТРЕНКО?

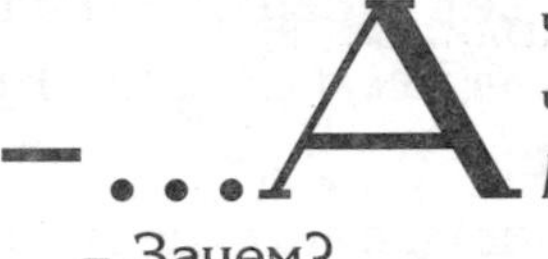

– ...А что я? – сказал фельдфебель, начальник прачечной команды. – Мне Петренко приказал.

– Зачем?

Снизу всё выглядело обыкновенно. Просто на зеленой траве три ряда рубах и подштанников: два продольно, один между ними поперечно, ничего особенного. Калинкин поглядывал на старшего товарища с недоумением.

Фельдфебель скривил мясистый рот.

– А я знаю, зачем? Не могет он, ваше благородие, видеть, если человек, к примеру, цыгарку закурил. Беспременно ему надо, чтоб никто без дела не сидел. А я, может, с шести утра, как собака какая, не разогнумши...

– Что за Петренко? – спросил Алеша.

– Дык Петренко, – объяснил фельдфебель. – Афанасий Никитич. Прапорщик наш. Главный банно-прачечный начальник.

– Где он сейчас?

Служивый подумал.

– Об это время они кушают. На квартире у собя. Обедают. В столовой не любят, от столовой у них изжога.

– Где он квартирует, ваш Петренко?

– А вот как пойдете по главной улице, так до конца, оттуда в переулок и прямо до речки. Ихняя хата самая последняя, кусты вдоль околицы.

## В КУСТАХ

По дороге пришлось объяснить, из-за чего сыр-бор.

– Леш, чего это мы? – совсем по-мальчишески спросил Вася. – С Петренкой этим, а?

Курсы курсами, но без практического опыта, конечно, трудно. Поэтому Романов рассказал попросту, без снисходительности.

– Во-первых, странно. Зачем рубахи с места на место перекладывать. Во-вторых, прямо перед облетом аэроплана, который зачем-то кружит над Русиновкой всегда в один и тот же час. В-третьих, белье как было выложено?

Калинкин подумал.

– Ну как... Буквой «эн».

– Это по-нашему. А по латинскому шрифту буква «аш». Что это значит по австрийскому армейскому коду?

Прапорщик остановился, хлопнул себя по лбу – звонко.

«Какъ сердцу рускому мила
До слезъ родимая картина:
Простая, бедная равнина
Да избы скромнаго села!»

– Ой, мы же учили! «Экстренное сообщение». Это знак аэроплану?

– Все может быть. Надо проверить. Возможно, банно-прачечный начальник просто самодур. Но мы обязаны удостовериться, что он не вражеский агент, подающий аэронаблюдателю сигнал о полученной информации исключительной важности.

– Ясно...

– Сейчас мы определим, где хата этого Петренки. Я останусь, а ты сбегаешь к начальнику кадрово-персонального отдела дивизии, я напишу записку. Пусть даст формулярный список прапорщика. Принесешь сюда.

Хата, как и сказал фельдфебель, стояла над невысоким обрывом, под которым текла быстрая речка Вильшанка. Для офицерской квартиры домишко был скромненький – в два окошка, с соломенной крышей.

Кусты вдоль околицы – густые, можжевеловые – пришлись кстати. В них контрразведчики и расположились.

Через открытое окошко было видно, как мужчина лет тридцати пяти, в нижней рубахе с закатанными рукавами, достает из печки чугунок, садится, режет хлеб. В бинокль можно было разглядеть лицо (приятно-мужественное, сосредоточенное) и даже содержимое тарелки (борщ).

– Потом будет гуляш трескать, – сказал Вася, потянув воздух носом. – У меня нюх ужасно обостряется, когда жрать охота.

– Один живет, без хозяев, – поделился своими соображениями и Романов. – И денщика не видно. Сам кухарничает. Необычно.

– Куркуль. Денщицкую доплату себе забирает. Чтоб офицер себе сапоги начищал?

На крыльце стояли две пары сапог – сверкающие парадные и пыльные повседневные. Чистюля – у двери разувается.

– А может, просто привычка к холостяцкой жизни. Всё, Вася, дуй в штаб. Хватит гадать, сейчас узнаем точно.

Калинкин слетал пулей. Через двадцать минут, как штык, вернулся с личным делом. За это время прачечный начальник успел доесть борщ, с аппетитом умял второе (действительно гуляш) и взялся за кисель. Выражение лица у него было сосредоточенное.

– Всё правильно, – зашептал на ухо Вася. – Холостой. От денщика отказался. Хату взял пустую, потому что любит жить один. Это мне в отделе хозяйственном рассказали. Заглянул по дороге. Ты не беспокойся, я не говорил, откуда я. Мол, хочу договориться, чтоб меня у Петренки обстирывали, он иногда разрешает. Ну и расспросил немножко, что за человек, как-де лучше подкатиться. Хорошо к нему в отделе относятся. Говорят, простой, приветливый.

– Молодец, Вася, – похвалил подпоручик. – Давай формуляр.

Так-так. До мобилизации Петренко служил счетоводом на железнодорожной рокаде, построенной для нужд военного округа. Превосходная, между прочим, должность для шпиона в мирное время. Отсюда и звание прапорщика запаса. Второй звездочки такому офицеру не выслужить, хоть сто лет прачечной руководи. А в общем, ничего интересного в личном деле Петренки не было.

– Не похож он на австрийского шпиона, – вздохнул Калинкин, глядя, как Афанасий Никитич облизывает с ложки кисельную пенку.

– Ни разу не встречал шпиона, похожего на шпиона. Наше дело – проверить. Скорее всего, зря потратим время. Аэроплан и перекладка белья – случайное совпадение.

Калинкин поинтересовался:

– А как мы проверим? Не у него же спрашивать. Слежку установим, да?

Объект наблюдения, кажется, никуда уходить не собирался. Он уютно раскурил трубочку и улегся на кровать, положив ноги на железную спинку.

– Если буква «аш» – это сигнал самолету-разведчику, что сие означает? – тоном преподавателя спросил Алеша.

– Что у агента нет других средств экстренной связи.

– А стало быть? Особенно с учетом странной пассивности дорогого Афанасия Никитича?

Вася подумал еще и опять ответил правильно:

– К нему пришлют связного. Выяснить, в чем дело.

– Причем сделают это быстро. Если знать тропки, от австрийских позиций через болото в наше расположение можно часа за два пробраться. В общем, так. Остаешься здесь. Пришлю к тебе кого-нибудь в напарники. Он захватит пожевать, чтоб ты тут не мучился обострением нюха. Сидите, бдите за нашим Банщиком. В случае чего пошлешь солдата за мной, он знает, как меня сыскать.

Пристроив новичка к заданию, подпоручик отбыл по дальнейшим делам. Их у Романова хватало. Прежде всего проведал вольнопера Левкина (очень средних способностей), приставленного следить за Учительницей. Предупредил, чтоб удвоил осторожность и внимание. Возможна активизация объекта.

## СВЯЗНОЙ ПОЯВИЛСЯ ПЕРЕД РАССВЕТОМ

Забот у Романова было через край. О слежке за Банщиком, одной из множества мелких мер предосторожности, в остаток дня он почти не вспоминал. Мотался на позаимствованном у Васи мотоцикле по всему расположению дивизии, трижды телефонировал Козловскому, один раз лично отправлял радиошифровку с отчетом. Перекусил на ходу, куском хлеба с колбасой. К себе на квартиру вернулся в третьем часу ночи. Сел на койку снять сапоги – да так, боком, и повалился.

Вскинулся от стука, как показалось, буквально в следующую секунду. Но за окном уже серело, в стекло барабанила костяшками пальцев чья-то рука.

– Ваше благородие!

Голос Кузина, солдата, которого он вчера направил в помощь Калинкину.

Сон будто ветром выдуло. Неужели?!

– Связной? – спросил подпоручик, вылетев на крыльцо. – К Банщику?

– Пришел какой-то. Семь минут тому. С половиной, – поправился Кузин, глянув на часы. Он был педант. – Прапорщик за вами послал.

Дальнейшие вопросы Алексей задавал на бегу.

– Кто?

– По виду мужик. Гуцул, что ли.

– Почему гуцул?

– Топорик этот ихний на боку. И лапти кожаные.

– Постолы?

– Ага. Бесшумные. Мы его чуть не проморгали. Не слыхали и не видали, как в дом вошел. Только вдруг глядим – свет загорелся...

Солдат начинал задыхаться, а спортивному Романову хоть бы что.

– Вы через ставни подглядели?

– Так точно. Господин прапорщик сначала. Потом я... Сидят они двое, Банщик этому что-то шепчет... Не поспеваю я, ваше бла... городие!

Связной, точно связной! Стреляли наугад, а, похоже, попали в десятку, пронеслась в голове у Алеши азартная мысль.

– А ты не беги за мной. Двигай лучше за Сливой. Пусть подтягивается.

Без опытного унтера не обойтись, если дойдет до живого дела. А дойдет обязательно. Отпускать связного с донесением ни в коем случае нельзя. Если это, конечно, связной, а не что-то другое...

Солдат от хаты Банщика бежал семь с половиной минут. Романов обратный путь проделал вдвое быстрей.

Вася даже спросил:

– Кузин тебя по дороге что ли встретил? Докладываю...

– Всё знаю. Молодец, что в кусты вернулся.

Прапорщик хихикнул:

– А я когда под окошком сидел, ветер подул. Ну я слегка ставенку-то и приоткрыл. Теперь отсюда в бинокль видно. Через щель.

– Дай!

Алексей схватил окуляры.

Петренко сидел спиной, слегка нагнувшись. Делал какие-то непонятные движения – будто колоду тасовал. Напротив – небритый человек в низко надвинутой шапке. Одет по-крестьянски. Лицо странноватое. Дикое какое-то, будто у лешего. Мимики ноль, только глаза зыркают туда-сюда. И молчит. Две минуты Романов его разглядывал – мужик рта не раскрыл.

– В карты они что ли играют? – пробормотал подпоручик.

Вскоре прибыли Слива с Кузиным. Алеша дал посмотреть на неизвестного человека унтеру.

– Старый знакомый, – тихо сказал Семен. – Кум мой.

– Как это?

– А я всех, кого брал, «кумами» зову. Это Нимец, контрабандист. Я его с поличным взял. Каторга ему катила. Но он в Сибирь не схотел, сдал все ихние схроны. А за это...

Унтер умолк, не договорив, и вернул подпоручику бинокль.

– Выходят, – шепнул он.

Все пригнулись, затаили дыхание.

На крыльцо вышел Нимец. Петренко что-то втолковывал ему, стоя в дверях. Контрабандист кивнул. Ловко, будто рысь на мягких лапах, спрыгнул на землю. Быстро поглядел вправо, влево. Пошел к калитке.

У околицы он чуть не задел своей бараньей безрукавкой затаившего дыхание Романова. Алексей ощутил острый, будто звериный запах.

Беззвучно, полурысцой гость Банщика трусил по улице. В сумерках подпоручик разглядел болтающуюся на поясе бартку – топорик на длинной ручке, которым гуцулы могут и вековое дерево свалить, и зубочистку оструган.

«Но вотъ ударъ наноситъ свой
Коварный врагъ ночной порой»

Куда повернет?

Нимец перелез через чей-то плетень, добежал до берега и исчез под обрывом.

– Значит, так, – быстро сказал Романов. – Ты, Вася, бегом до брода. Не высовывайся. Будешь вести его с того берега. Мы трое двинемся по этому, следом.

И взглянул на Сливу – одобрит, нет?

Унтер едва заметно кивнул.

Сначала было легко. Нимец шел внизу, бережком, держа путь в сторону болота. Они же двигались параллельным курсом, но поверху, зорко следя, не станет ли объект перебираться на ту сторону. Романов часто смотрел в бинокль – где там Калинкин. Но прапорщик маскировался отменно. Лишь один раз Алексей увидел, как на том берегу, меж двух буков, метнулась тень.

Потихоньку становилось светлей. Над руслом Вильшанки полз туман, но не слишком густой. Когда Нимец надумал перейти речку по камням, его было видно по пояс.

Минуту выждав, контрразведчики проследовали тем же путем, только низко пригнувшись.

В поле стало трудней.

Контрабандист рысил все так же ходко, но часто оглядывался. Выручал туман – все трое разом падали в траву. Однако скоро дымка исчезнет, соображал

Романов. Тактику требовалось изменить, а он никак не мог определиться, как действовать: задерживать Нимца или нет.

Если он связной, которого ждут с важным сообщением, исчезновение лишь вызовет у врага повышенный интерес к этой зоне. Но и выпускать его тоже нельзя...

Из-за кочки вынырнул Калинкин. Теперь ему не было смысла сепаратничать – четверка соединилась.

– Ты что мокрый?

С Васи действительно текло – хоть выжимай.

– Ты сказал «брод», а почем мне знать, где тут брод? Пришлось вплавь. Ничего, только взбодрился.

– Поотстанем, – приказал Романов. – И веером. Мы с прапорщиком посередке, Слива двадцать шагов справа, Кузин слева.

Дистанцию увеличили до двухсот метров. Можно было себе позволить – до леса оставалось еще прилично.

– Точно шпион, – возбужденно приговаривал Калинкин. – Видал, как озирается? Почему мы его не берем? Допросить же надо.

– Это курьер, Вася. Скорее всего, ни черта не знает. Просто несет донесение. Эх, его обыскать бы... Только как?

Романов припал к биноклю. Согнувшись в три погибели, подбежал Слива.

– Обшарить бы его, лапушку.

– Великие умы мыслят сходно. Но как? Не под анестезией же?

Унтер почесал затылок.

– Мне делали нестезию. Когда пулю доставали. Ни хрена не чувствовал. Дозвольте биноклю, ваше благородие?

Поглядел-поглядел, да присвистнул.

– У него баклага на боку. На левом.

– Ну? И что такого?

– А если самогон? – Семен строго поднял палец. – Законы военного времени возбраняют. Вы вот что, ваше благородие. Бежите-ка за мной. У опушки его перехватим.

Не дожидаясь разрешения, он нырнул в заросли камыша, опоясывавшего поле широкой дугой. Кузин помчался за унтером.

– Чего это они, а? – удивился Калинкин. – И разрешения у тебя не спросили.

– Слива знает, что я ему доверяю. Он мужик дельный. Плохого не придумает. Аллюр три креста, Вася!

Пустились вдогонку.

## «НЕСТЕЗИЯ»

Бежали резво. Прибыли на опушку, когда Нимцу до нее оставалось добрых пять минут хода.

– Что нам делать, Слива? – спросил подпоручик. – Объясните.

– Господину прапорщику ничего. Пусть ляжет вон под кустик, схо려ается. А ваше благородие я, когда надо, кликну. Начепляй повязку, Кузин. И вы наденьте.

Он достал из кармана нарукавную повязку с надписью «Патруль» – всем сотрудникам группы такие полагались по должности. Патруль мог остановить и задержать кого угодно, имелся у него на то особый мандат.

Кузину унтер что-то прошептал на ухо.

– Айда за мной. И зевай, зевай!

Они лениво вышли из кустов. Кузин старательно зевал и тянулся, будто только что дремал в тихом месте. С повязками, они выглядели обычным патрулем, какие рыщут по всей дислокации дивизии.

Контрабандист заметил их сразу. Замер, но сообразил, что и его увидели.

– Эй, хохол! – гаркнул Слива. – А ну подь!

Поколебавшись и несколько раз оглянувшись, Нимец понял: бежать – только хуже сделаешь.

Приблизился, шагов за двадцать сдернул шапку.

– Эге ж! – якобы только теперь узнал его Слива. – Нимец! Куманек мой любезный! Чего у передовой шастаешь? За старое взялся?

Лицо контрабандиста на миг перекосилось. Видно, тоже узнал. Но сказать ничего не сказал, просто остановился.

– Ваше благородие! – крикнул унтер, оглянувшись на лес. – Дружка старого встретил! Антересный крукт!

Романов вышел, тоже потягиваясь. У Нимца должно быть ощущение, что он случайно напоролся на отдыхавший в кустах патруль.

– Чем это он интересный?

– А контрабандист. Нимцем звать. Я, куманек, теперя в военной полиции состою. Никуда вашему брату от меня не деться. Документ имеешь?

Крестьянин все так же молча достал тряпицу, из нее – сложенную вчетверо бумажку.

Алексей взял, со скучающим видом прочел: «Иосиф Мстиславов Крупко, житель села Круглое Русиновской волости». Печать, подпись – всё было в порядке.

– Тут написано «Крупко», а ты говоришь «Нимец»?

Ради конспирации обратился к унтеру на «ты», чего себе никогда не позволял, да самолюбивый Слива и не стерпел бы. Однако для обычных отношений между офицером и нижним чином выканье звучало бы подозрительно.

– Пасть разинь, – велел Семен задержанному.

Тот послушно раскрыл рот, высунул обрубок языка.

– Потому и Німец, что немой, – объяснил Слива то, что не успел дорассказать возле петренковой хаты. – Он мне разбойничьи схроны выдал, а напарники евоные, братья Стапчуки, его за то поймали, связали и язык оттяпали. У них, контрабандеров, порядок такой – кто страже лишнее наболтал, язык отрезать.

– Пусть закроет, – попросил Алексей, содрогнувшись. – Ишь, бедолага.

Он был растерян. Собирался задать крестьянину кое-какие вопросы, уже и перечень мысленно составил, как его подловить. А спрашивать, выходит, невозможно. То-то Нимец и у Петренко сидел, помалкивал. Идеальное, между прочим, увечье для связного.

Унтер оскалился:

– Вы его, ваше благородие, шибко не жалейте. Нимец у нас волчина зубастый. Братьев-то этих, Стапчуков, после нашли порубленными. Вот таким примерно топориком, что у него на поясе висит. Твоя работа?

Контрабандист замычал, помотал головой.

– Мы шибко-то не дознавались, – хохотнул Слива. – Двумя крысюками меньше – наша работа легшее. Чего у тебя в баклаге, Нимец? Самогонка? За это по нынешнему времени знаешь чего?

Тот снова замычал, стал отцеплять флягу.

– Кузин, глотни-ка. Я брезговаю.

Солдат с сомнением понюхал, немного отпил, сплюнул.

– Тьфу, вода!

– Ла-адно, – протянул Семен, недобро прищуриваясь. Он отлично играл роль скучающего злыдня, который ищет, к чему бы придраться да как покуражиться над безответной жертвой.

– А под одёжей у тебя чего? Скидавай рубаху. И портки. Знаю я ихнюю воровскую породу, ваше благородие. Неспроста он тут шляется.

Романов подыграл:

– Охота тебе возиться в его грязных тряпках? Пускай катится.

– Не-е, ваше благородие. У Сливы на тварей этих нюх. А ну раздягайсь! Ты меня знаешь – харю сворочу!

Он показал здоровенный кулачище.

Нимец издал жалобный, хнычущий звук, но его хищные глаза прищурились, быстро перемещаясь со Сливы на Романова. В этом взгляде читалась такая звериная злоба, что Алексей сразу вспомнил про зарубленных братьев.

– Ты мне еще ломаться будешь?!

Унтер размахнулся и двинул контрабандиста в висок. Нимец рухнул, будто сбитый поездом, даже пикнуть не успел. Раскинул руки, сквозь приоткрытые веки виднелись белки закатившихся глаз.

– Вот и нестезия, – сказал Слива, облизывая костяшки. – Четверть часочка полежит, поскучает. У меня в кулаке хрономер. То есть, хронометр. Чего глазеешь, Кузин? Раздевай его!

Через минуту подозреваемый лежал на траве абсолютно голый. Калинкин вышел из укрытия, помогал ощупывать швы на одежде. Всё, что находилось в карманах, выкладывалось отдельно, в строгом порядке – потом надо было засунуть все точно так же, ничего не перепутать.

– Пустышка, – доложил прапорщик. – Записки нет. Вообще ничего примечательного. Разве вот

«Распрямись, спина! Размахнись, кулакъ!
Получи сполна, ненавистный врагъ!»

это. – Он показал колоду карт. – Но я все перебрал, листки чистые, никаких пометок. Обычные игральные карты.

Алексей взял, посмотрел.

– Говоришь, обычные?

– Ну да. Немного странно для крестьянина. Но ведь этот тип из преступной среды...

– А ты на карты получше посмотри.

Романов вернул помощнику колоду. Настроение у подпоручика вдруг стало очень хорошее.

Повертев и так, и этак, Калинкин пробормотал:

– Сбоку на обрезе точечки какие-то. Карандашом. Крапленые что ли?

– Что точки заметил – молодец. – Алексей отобрал карты, начал их перекладывать. – Думай дальше. Слива, одевайте его обратно! И в карманы положите всё, как было.

– Колода совсем новая... Похоже, ей еще ни разу не играли, – ломал голову Вася. – Да что с того? Не знаю. Сдаюсь.

– В только что распечатанной колоде карты лежат в определенном порядке: по мастям, внутри мастей по старшинству. А эта, хоть и не играна, но зачем-то перетасована. Вот я разложил, как положено – черви, бубны, трефы, пики, от тузов к шестеркам.

– Ну?

– Погляди-ка на свои карандашные точечки теперь.

Калинкин взял – ахнул.

На обрезе колоды сложились едва различимые буквы:

OFF ST VERD SCHLFLG ENTG STAF

– Шифр! – вскричал прапорщик. – Что значат эти буквы?

У Романова голова работала так напряженно, что аж в ушах пощелкивало.

– Так-таки шифр... Это тебе не стратегический шпионаж. Обычная армейская разведка пользуется установленными сокращениями. Вот что это значит... – Подпоручик стукнул кулаком по ладони. – «Offensive stark verdächtigt». «Наступление сильно подозревается». А дальше? Сейчас... Очевидно: «Schlußfolgerung entgegengesetzte Stafette». «Окончательное заключение обратная эстафета», то есть с обратной связью. Рассчитывает вскоре добыть более полную информацию.

– Здорово! – восхитился Калинкин.

– Ужасно, – угрюмо откликнулся Алексей. – Пронюхал наш Банщик про наступление. Дали мы где-то маху...

– Да брось ты! Мы же его раскололи! Арестуем, предъявим связного – не отопрется. Не получат австрийцы никакой эстафеты!

– Ты думай, что говоришь. После сигнала «экстренное сообщение» вдруг исчезают и внедренный агент, и посланный к нему связной. Да австрийцы бросят сюда десять, двадцать лучших нюхачей! Они и так, поди, ночами не спят, пытаются определить, с какого направления им ждать удара, а тут такая подсказка... Всё дело провалим. Беда, Вася... Надо докладывать подполковнику. Спасать положение...

Прапорщик проникся серьезностью проблемы. Чистый лоб собрался морщинами.

– Что же делать? Он через пять минут очнется.

– Через семь, – поправил Слива. – Я ж говорю: у меня кулак – хронометр.

А Романов уже знал, как действовать.

– Эх, мне бы ластик...

– В смысле резинку? У меня в планшетке есть. – Калинкин с готовностью достал хорошенький ученический пенал, в котором лежали идеально отточенные карандашики, миниатюрный транспортир, циркулек и каучуковый ластик. Сразу было видно неисправимого отличника.

– Здорово!

Подтерев начало надписи, Романов внес в нее поправку:

OFF VERD PROVO MÖG SCHLFLG ENTG STAF

Прапорщик, сопя от умственного напряжения, заглядывал ему через плечо.

– Ну, первые два слова – это я догадался: «Offensive verdächtigt». «Наступление подозревается». Дальше не понимаю.

– «Наступление подозревается». Слово «сильно» убираем. И добавляем: «Provokation möglich» – «Возможна провокация». Про обратную эстафету оставляем. Возможно, у них так заведено – в случаях исключительной важности давать дополнительные сведения незамедлительно.

Он перетасовал колоду, и надпись пропала.

– Одели? Суньте еще и колоду.

За тем, как связной очнется, наблюдали издали, в бинокли.

Нимец зашевелился через шестнадцать минут после удара. Кулак у Сливы действительно был прямо-таки хронометрический.

Контрабандист сел, взялся за голову, помотал ею. Испуганно заозирался. Потом захлопал себя по карманам. Достал карточную колоду, осмотрел. Снова стал оглядываться.

– Не заподозрит? – нервно спросил Калинкин.

– Ништо, – просипел унтер. – Подумает, я на нем душу отвел, да и пошел себе дале. Подстеречь, конечно, может в темном углу. Он мужик памятливый... Если захочет австриякам о встрече с патрулем доложить, это ему затруднительно будет. Языка-то у Нимца нету, а грамоте он не знает.

Связной наконец встал. По-собачьи встряхнулся, подобрал шапку и скрылся в лесу.

– Итак, в Русиновке как минимум два вражеских агента, – озабоченно подвел итог Романов. – Банщик и Учительница. Первый, разумеется, главный. Поэтому я перераспределяю роли. Слива, вы опытнее. Петренку поручаю вам. Глаз с него не спускать! И чтоб ни в коем случае не заметил. Ну, сами знаете. Ты, Вася, сменишь вольноопределяющегося Левкина около дома Учительницы. Мы ведь еще не выяснили, связана она с Банщиком или работает самостоятельно. Я еду на радиостанцию. Свяжусь с Козловским. Нужно срочно принимать меры. Времени у нас – день. Максимум два...

# В РОЛИ ХЛЕСТАКОВА

В полдень на срочное собрание созвали всех расквартированных в Русиновке офицеров: из штаба, из дивизионного резерва, из вспомогательных и тыловых подразделений. В помещение столовой, откуда выслали всю обслугу, пришли человек тридцать-сорок в звании от полковника до прапорщика. Перед тем как войти, каждый должен был расписаться в книге, что извещен об ответственности за разглашение.

Открыл собрание начальник штаба, пожилой, очень нервный генерал с заглазным прозвищем Тик.

Подергивая бородатым лицом, Тик разрешил садиться и представил докладчика – нового начальника контрразведочного отделения Романова. Вид у генерала был встревоженный, будто он что-то не вполне понимал.

– Сведения, которые вам сообщит подпоручик, абсолютно секретны. Вы, впрочем, расписались и знаете. М-да... Прошу.

Он кивнул контрразведчику и сел в угол, как бы демонстрируя, что и сам является всего лишь слушателем.

Вперед выступил молодцеватый офицерик в сверкающей портупее, солидно откашлялся и для начала произнес бодрую речь патриотического содержания о несокрушимости русского оружия и неизбежности скорой победы над палачами Европы – австро-венгерским императором и германским кайзером.

Трескучее словоблудие подпоручика слушающим не понравилось. К сотрудникам контрразведки в армии и так относились с неприязнью, а уж этот фразер, нахально распускающий перья перед людьми, большинство которых старше по возрасту и званию, выглядел просто пародией на тылового шапкозакидателя.

Еще и грозить смел, мальчишка:

– Я уполномочен сообщить вам новость сверхсугубой секретности. Господин генерал недостаточно сказал про ответственность за разглашение. Того, кто нарушит тайну, ждет немедленное разжалование и суд.

В зале недовольно зашуршали, закашляли.

– Нельзя ли ближе к делу, – сказал Тик, задетый упреком в свой адрес. – Хватит преамбул.

«Не дремли, грозная дружина!
За мной спѣши на смертный бой!
Дрожи, забейся въ щель, вражина!
Мы поквитаемся съ тобой!»

Алешу реакция аудитории вполне устраивала. Именно такого впечатления он и добивался. Для пущей павлинистости он прицепил аксельбанты, на которые начальник дивизионной контрразведки не имел никаких прав, и исключительно звонкие шпоры, которые пехотному офицеру тоже ни к чему. Из своих наград надел только «тылового» Владимира без мечей.

– Господа, с сегодняшнего дня ваша дивизия находится на особом положении, – со значительным видом объявил он. – Вступает в действие режим повышенной секретности. Вы наверняка обратили внимание, что в ваше расположение переброшены саперные части, которые ведут активную работу.

– Было объявлено, что это для укрепления обороны, – сказал кто-то.

Подпоручик иронически усмехнулся, оставил реплику без комментария.

– Все отпуска и отлучки отменяются. У вас теперь зона особой секретности. Я назначен штабом фронта обеспечивать меры безопасности. И – учтите – наделен чрезвычайными полномочиями.

Тут он выпятил грудь и сделал торжественную паузу.

В столовой перешептывались.

– Наступление, что ли? – густым басом спросил у соседа полковник из первого ряда. – Так бы и объявили.

Кто-то довольно громко заметил:

– А покрупней птицы для такого дела в штабе фронта не нашлось?

Прапорщика Петренко, скромненько пристроившегося у самой двери, Романов из виду не выпускал, но исключительно периферийным зрением. Нарочно не поворачивал головы в ту сторону. Банщик сидел тихонько, мышкой-норушкой.

– Птицу ценят не по размеру, а по полету! – запальчиво ответил Романов на оскорбительную реплику. – Я, может, в небольшом чине, но опыт у меня – слава Богу. У нас в контрразведке людей ценят не по звездочкам, а по заслугам!

Тогда полковник из первого ряда, спросив разрешения у генерала, задал свой вопрос уже напрямую:

– Позволительно ли узнать, чем вызвана подобная активность контрразведки?

Стало тихо. Все ждали ответа.

– Непозволительно, – нахально ответил подпоручик. – Я сообщил всё, на что уполномочен – пока. Призываю всех удвоить бдительность, подтянуть нижних чинов. В случае чего, если заметите что-то подозрительное, немедленно сообщайте мне. Со дня на день ждите известия, которое всё вам разъяснит.

Он еще пораспинался на тему секретности и ответственности, после чего важно сказал начальнику штаба:

– У меня всё, ваше превосходительство.

– Ну всё, так всё. – От неудовольствия у Тика физиономия ходила волнами.

Перед собранием он и начальник дивизии битый час мучили Романова расспросами, но никаких дополнительных сведений не выудили. Они и в штаб армии звонили, но там ответили, что разговор не телефонный и что послезавтра командующий будет иметь с ними беседу.

Все эти тайны, как справедливо рассудил басистый полковник, могли иметь только одно объяснение. Фронт 74-ой дивизии выбран для прорыва австрийской обороны.

## КРАСОТА – СТРАШНАЯ СИЛА

В третьем часу пополудни она заметила условленный сигнал. Над хатой Опанаса вился черноватый дымок. Опанас нарочно поселился, чтобы его дом, стоявший немного на отшибе от остальных, был виден из окна ее горницы. Мавка часто смотрела в ту сторону, иной раз подолгу.

Черный дымок, от сырых буковых сучьев, означал: «Немедленно ко мне».

Сердце у нее так и запрыгало.

Только что сидела смурная, напевала невеселую песню:

> Гетьте, думи, ви хмари осінні!
> То ж тепера весна золота!
> Чи то так у жалю, в голосінні
> Проминуть молодіїліта?

И вдруг – срочный вызов!

Пять дней не виделись. Он запретил. Один раз случайно встретила на улице, он шел куда-то с солдатами – отвернулась. Но прошла близко, рукавом задела, будто случайно. Пустяковое касание, а обожгло, как огнем.

Сейчас она его увидит! Не для объятий, конечно – для Дела. Опанас не станет по личному поводу давать сигнал, не такой это человек. За то, может быть, она его и полюбила, что для него Дело прежде всего.

А все равно стало ей сладко.

Мавка наскоро поглядела на себя в зеркало, поправила косы. Волнение было ей к лицу, и вообще сегодня выглядела она неплохо.

Прежде чем выйти из дома, следовало (Опанас научил) проверить, всё ли чисто.

Она встала за тюлевой занавеской, мысленно поделила заоконное пространство на сектора и тщательно осмотрела каждый из них. К этому занятию Мавка относилась очень добросовестно – ведь так велел Опанас.

Третий сектор – густые кусты слева от калитки – ее насторожил. Кто-то там прятался. Если не приглядываться, не заметишь. Но когда фиксируешь взгляд, как показывал Опанас, зрение обостряется.

Определенно в можжевельнике кто-то прятался. Соседский мальчишка? Четырнадцатилетний оболтус несколько раз пытался подглядывать, как она моется или переодевается.

Мавка поднялась на чердак. Там, среди прочих нужных для Дела вещей, был спрятан хороший бинокль.

Через пыльное стекло крошечного окошка навела резкость. Нахмурилась.

Это был не оболтус. Человек в военной форме. Блеснула офицерская звездочка на погоне. Мавка поймала в кружки лицо соглядатая.

Ах вот это кто…

Губастый юнец-прапорщик сегодня уже попадался ей на глаза. Совсем молоденький, так и пожирал взглядом. Она видела его около школы, потом на площади, потом у керосиновой лавки. Ясно было, что рядом он крутится неспроста. Сначала Мавка забеспокоилась, не слежка ли. Но для контрразведки мальчик был слишком пушистый, несерьезный. Не иначе влюбился. Это ее не удивило, она знала, что имеет власть над мужчинами. Может приворожить любого – кроме одного, который единственный ей только и нужен.

Удивляться, что прапорщик целый день вместо службы таскается за барышней, было нечего. В Русиновке офицеров, дожидающихся оказии до губернского города, хватало. Были и те, кто, наоборот, прибыл из госпиталя или с пополнением, ждал назначения в часть.

В другое время Мавку такой застенчивый, но настырный прилипала только развеселил бы. Но сейчас он был ужасно некстати. Ведь снова увяжется. Не к Опанасу ж его вести? Опять же, вдруг он все-таки приставлен для слежки? У кацапов в контрразведке какой только швали не держат. Достаточно вспомнить дурака Жилина или наглого подпоручика, что хватал за плечо и терся коленом.

Она не на шутку рассердилась. Как-то надо было эту досадную помеху устранить.

Если б ее так остро не подгоняло нетерпение, она, наверное, поступила бы менее авантюрно. А тут долго голову ломать не стала.

Накинув на плечи алый с черным платок, она вышла из дома – и прямиком к околице. Офицерик пригнулся, затаился, но она остановилась перед ним и раздвинула ветки.

– Вы что это тут прячетесь? – со смехом спросила она. – Я думала, кошка.

Он медленно распрямился. Щеки порозовели. Молчит.

– Хорошо ли из кустов за девушкой подглядывать? – Ее глаза смеялись. – А еще офицер. Если вам кто нравится, смелее надо быть. Девушки робких не любят.

Прапорщик моргнул густыми ресницами.

С таким телятей рассусоливать было нечего.

– Нравлюсь я вам?

Она дала себе пять, много десять минут, чтоб его сплавить.

– Ужасно нравитесь! – наконец обрел он дар речи. И как-то сразу просветлел.

– То-то, смотрю, хвостом за мной ходите.

– Я как вас увидел, будто магнитом притянуло! – стал вдруг разговорчивым юнец. – Вы ужасно красивая. Вот.

– Красноречивый, – похвалила Мавка. – «Ужасно нравитесь», «ужасно красивая». Но если бы вы умели ухаживать за девушками, то подарили бы цветы. Или конфет.

– Цветы? – Он стал оглядываться. – Могу одуванчиков нарвать. А конфеты... Где ж я возьму?

– В гарнизонной лавке. Там шоколадные есть. Сходите, купите, а я самовар поставлю. Будем чай пить.

Давай-давай, лети за конфетами, мысленно поторопила она мальчика. Исчезни.

Но губошлеп вдруг заупрямился.

– Я от вас никуда! – пылко объявил он. – Где вы, там и я. Потому что, если расстанусь с вами хоть на минуту, у меня разорвется сердце!

Не такой уж он оказался и робкий. Мавка поняла: так просто от него не отвяжешься. И с ходу поменяла тактику. Подхватила ее лихая, озорная волна, понесла. Никогда в жизни не выкидывала она штуки, которую вдруг надумала провернуть.

На осуществление нового, восхитительно дерзкого плана придется потратить минут пятнадцать-двадцать. Зато он был наверняка, без осечки. И будет что Опанасу рассказать. Это соображение подстегнуло ее, заставило жарко улыбнуться. И внутри тоже стало горячо, томно.

– И вы мне глянетесь, – нежно сказала она. – А я уж коли душой к кому потянулась, никакого мне удержу нет... Заходите, коли вы такой. Познакомимся.

Познакомились быстро. В хате она его за розовую щеку пальцами тронула – он сразу запыхтел, стал руку целовать, потом шею, к губам подбирается. Она смеялась, отворачивалась. Поглядывала на часы. Две минутки из пятнадцати прошло.

– Быстрый какой, – шептала, уклоняясь от поцелуев. – Не сказал, как зовут, а уже...

– Я Вася. Калинкин...

– Нет уж, Вася, сначала я тебя угощу, а там... Там видно будет. Наливочки выпьем, вишневой.

Поигрывая глазами, она заслонилась открытой дверцей буфета, накапала в наливку капель, которых ей дал Опанас.

Села к мальчишке со смешной фамилией, поцеловала. Он, весь дрожа, полез расстегивать пуговицы на ее сорочке.

– Погоди, погоди, – хохотала Мавка. – Выпей сначала. За знакомство. До дна!

Он хватанул наливки, снова зарылся носом ей за пазуху. Приговаривал что-то, чмокал. Потом хрюкнул, всхрапнул и навалился всем телом – едва она его удержала. Опанасовы капли были крепкие.

«И въ сердце самое сражен,
Палъ витязь, какъ убитый.
Онъ сладкой силою плѣненъ,
Отъ коей нѣтъ защиты!»

Семь минут.

Потом отволокла к кровати, был он не очень-то тяжелый. Стала раздевать. Хотела оставить в исподнем, но озорное пламя, все горячее разливавшееся по телу, заставило пойти дальше.

Растелешила юнца до голого гола, уложила на перину. Оглядела, усмехнулась. Не мужчина – кутенок. И сопит по-щенячьи.

Накинула одеяло. Сколько прошло?

Тринадцать минут всего.

Ох, умора!

## ТАЙНОЕ СВИДАНИЕ

Звонко смеясь, охваченная все тем же пьянящим, бесшабашным чувством, Мавка выбежала на улицу. Сделала над собой усилие – сдержала шаг, пошла чинной походкой, какая подобала вчительке. Любовь любовью, Дело Делом, но ронять авторитет первой настоящей украинской учительницы перед жителями Русиновки было нельзя. Только спустившись тропкой под обрыв Вильшанки, она снова перешла на бег.

Свою квартиру Опанас выбрал с большим умом. Хата была бедная, запущенная, но, кроме прямой видимости от Мавкиного дома, была у этой лачуги еще более ценная особенность. Прежние хозяева ловили на речке бреднями рыбу. Чтоб каждый раз не подниматься на обрыв, прорыли ход в погреб под домом. Это давало возможность тайным гостям Опанаса приходить и уходить незаметно для соседей.

Мавка толкнула кое-как сколоченную дверку, почти того же бурого цвета, что земляная стена откоса. Ход был недлинный, но все-таки пришлось зажечь лампу (она вместе со спичками лежала здесь же, на приступке).

С каждым шагом сердце билось быстрей.

Это для Дела, Дело прежде всего, повторяла себе она. Но когда увидела впереди красноватый свет, просачивавшийся из погреба, чуть не застонала от нетерпения. Как знать, не потаенность ли этих коротких встреч распаляла ее больше всего?

– Что так долго? – сказал он вместо приветствия. – Не сразу дым увидела?

Как красиво, сочно он говорил по-украински! Как уверенны, спокойны и властны были его движения!

Какой неяркой, внутренней красотой светились черты простого и сильного лица!

Едва сдержавшись, чтоб не припасть к его груди (он этого не любил – инициатива могла исходить только от него), Мавка объяснила причину задержки. Думала, он тоже засмеется, похвалит. Или, помечталось даже, взревнует. Нарочно рассказала, как раздевала молоденького, хорошенького офицерика. Однако Опанас нахмурился.

– Дура! Это хвост, нечего и думать! Где ты могла наследить? Тебе последнее время и заданий никаких не давалось!

– Жилин мог напоследок напакостить, – предположила она. – Его услали куда-то. Он дулся, что я им пренебрегаю. Написал какую-нибудь кляузу. Но бояться нечего. Мальчонка зеленый совсем. Я такого могу на веревочке водить.

– «На веревочке»! – Он был не на шутку встревожен. – Эх, надо бы, чтоб не рисковать... – Он запнулся, прикусил губу. – ...Отправить тебя на ту сторону. Но нет у меня больше никого, а дело аховое. Только ты, кохана, можешь мне помочь.

От ласкового слова она и про «дуру», и про сердитый тон, и про то, что даже не поцеловал, забыла.

– Говори. Что хочешь сделаю!

– Слушай. На нашем участке русские, кажется, затевают наступление. Я отправил с Нимцем донесение, что точнее сообщу завтра-послезавтра.

Мавка сдвинула брови. Известие действительно было огромной важности.

– Да верно ли?

– Черт его знает. Есть у меня сомнение, не обманка ли. Понимаешь, выступал сегодня перед офицерами хлюст один, уполномоченный из штаба фронта. Намекал, что скоро у нас тут будет жарко. Но больно уж несолиден. И звание мелкое – подпоручик. Виданное ли дело, чтоб такой мелюзге доверили большое дело? Либо же они хитры и нарочно в поддавки играют. Есть такой прием в разведке, «кинуть дурочку» называется. Делают вид, будто запускают дезинформацию, а на самом деле сообщают правду. Чтоб отвести от нее подозрение... В общем, сомневаюсь я. Если ошибусь – большая беда выйдет.

– Для австрияков? – пожала плечами Мавка. – Ну и ляд с ними.

– Эх, золотце, по-детски рассуждаешь. – Он укоризненно постучал ее пальцем по лбу. Вроде невелика нежность, а Мавке и то в радость. – Если москали под себя Галицию возьмут, Львовщину, Перемышль, нам лихо будет. Сколько раз объяснять.

Она виновато опустила голову. Прав Опанас. Просто, когда он рядом, голова у нее будто затуманивалась.

– Зовут уполномоченного подпоручик Романов, – продолжил он. – Он теперь начальник дивизионной контрразведки.

– Да я его знаю! Это тот самый, что был у меня с Жилиным. Я тогда же тебе написала.

Опанас насторожился:

– Ты писала, он стажер?

– Так он назвался. Видно, подсидел поручика. А может, наврал, что стажер. Он мне намекал, что у него важное задание, но я подумала, интересничает.

Стал Опанас тереть подбородок, была у него такая привычка. Очень Мавка ее любила – и подбородок тоже любила, с ямочкой.

– Это упрощает задачу. Твое мнение о Романове?

– Нахальный. Хвастун. Неумный. Хотя... – Она подумала. – Иногда во взгляде мелькало что-то. Не очень понятное.

– Вот-вот. Я же говорю: и у меня сомнение.

– Что мне нужно делать? Скажи.

Он взял ее за руку. Пальцы крепкие, горячие.

– То, что лучше всего получается у женщин. Ты умная, всякого мужчину, как под микроскопом, видишь. Захочешь – будешь нитки тянуть и на клубок наматывать. Подмани этого подпоручика. Раскуси его, разжуй. Нынче же ночью. Я узнал, где он квартирует, скажу. Но ты его к себе домой пригласи. Так лучше.

– Ночью? – переспросила она.

– Да. Время дорого. За твоим домом будет Нимец следить. Он должен к вечеру вернуться за дополнительной информацией. А я буду здесь ждать. Задача твоя не секреты выпытывать, а понять, что Романов за человек. Если таков, каким кажется, то есть свистулька глиняная, то можно не сомневаться: наступления здесь не будет. Если же хитрый лис, если болваном только прикидывается, тогда другой коленкор. «Дурочку» подсовывают и ударят именно у нас. В первом случае закрой фортку в правом окне. А если у них вариант «дурочка» – в левом. Не перепутай только, – пошутил он, зная, что на этот счет может не опасаться.

А она подумала: улыбнулся. Значит, *будет у нас.*

Только Опанас снова вдруг стал серьезен.

– И вот еще. Это на случай экстренный. Может получиться, что не ты его, а он тебя расколет. Всякое бывает. Тогда выпускать его живым нельзя. Почуешь, что дело швах, – зажги перед божницей красную лампадку. Я скажу Нимцу, что делать. Не бойся, мы тебя в беде не бросим.

– Знаю. Но за один вечер залезть в чужую душу не так-то просто. Особенно, когда от моего мнения об этом человеке столько зависит...

Он сжал ей руку сильнее, посмотрел прямо в глаза.

– Это если ты пробуешь мужчине залезть *только* в душу.

Сказано было со значением, особенным. Мавка обмерла.

– Ты хочешь, чтобы...?

И не могла поверить.

Лицо Опанаса стало жестким.

– Мне это еще тяжелей, чем тебе. Уж поверь. Но ради Дела я не пожалею жизни. Ни моей, ни твоей. То – Дело, а это всего лишь тело.

Она молчала, опустив голову. Жар и томление разом прошли. Сделалось душно, тяжко.

– Ради нашей отчизны ты должна быть готова на всё. Разве ты не говорила, что пойдешь на любые жертвы? Жертва велика, но велика и задача.

Эти слова он говорил зря, на Мавку они не действовали.

– Ты у меня единственный, – еле слышно произнесла она. – Никогда другого не было. И я думала, что не будет...

Тогда он перестал ее убеждать. Просто взял за плечи, рывком притянул к себе и стал жадно, страстно целовать – будто хотел разорвать зубами.

Вот таким – властным, грубым, ненасытным – она его и любила.

«Страшна бѣсовской силы власть
И ворожитъ умѣло:
Змѣя со змѣем сплелась
Во имя злого дѣла»

Темный, тускло освещенный керосиновой лампой погреб огласился рычанием, стонами, вскриками. По земляной стене рывками метались бесформенные тени.

– Да! Да! Да! – шептала Мавка. – Я для тебя всё сделаю… Всё… Всё…

Назад она возвращалась тем же путем, но гораздо медленнее. Ее пошатывало, всё тело ныло, как после побоев, но душа будто летела, а решимость была непоколебимой. Как умоляюще он на нее смотрел! Сколько раз повторил, что теперь всё зависит только от нее! Ради этого можно вынести что угодно.

Она улыбнулась, вспомнив, как Опанас беспокоился, сумеет ли она избавиться от усыпленного офицерика. Какие пустяки. Никогда еще она не чувствовала себя такой сильной. Словно Опанас зарядил ее своей мощью.

Дурачок Вася дрых, как младенец, только на бок повернулся. Язвительно усмехаясь, она тоже разделась, легла с ним рядом в одной рубашке. Он ткнулся лбом в ее плечо – отодвинулась, пробормотав: «Шиш тебе, кобелек, не про твои зубы колбаса». Ей хотелось быть вульгарной. Сладко потянулась, стянула с себя и рубаху.

Уснула легко, незаметно. Но сон был чуткий.

Как только мальчишка заворочался, Мавка сразу проснулась.

Мальчик пялился на нее во все глаза.

– Добрый вечер, любовник, – насмешливо молвила она. – Эк тебя с пары рюмок развезло.

Он сглотнул, сморщил лоб. Хрипло спросил:

– С пары? Черт, не помню ничего...

Она укоризненно покачала головой:

– Вот тебе раз. Как девушку в постель волочь, мы орлы. А проснемся – так ничего не помним?

Прапорщик захлопал ресницами, покраснел.

– А... у нас... получилось?

С недоверчивой улыбкой Мавка спросила:

– Шутишь? Как зверь накинулся. Я думала, с ума от страсти сошел, а он просто пьяный был!

– Правда, что ли?

Так он на нее смотрел – даже немножко жалко стало.

– А это я сама себе сделала?

Она спустила одеяло, показав синяки и следы укусов на шее, на груди, даже на животе. После каждого свидания с Опанасом ее тело выглядело, будто его клещами на части рвали.

Юнец уставился на наготу – и не мог оторваться.

– Надо же! Первый раз, а я ничего не помню...

И потянулся к ней дрожащими руками – обнять.

– Ну уж нет, на сегодня будет.

Легко и ловко Мавка выкатилась из-под одеяла и подняла с пола рубашку. Ей было весело чувствовать на себе жадный взгляд. Пускай хоть облизнется, бедняжка.

– Ступай. После увидимся. Завтра. Мне надо одной побыть. Разобраться со своими чувствами.

– Мне тоже... – глухо сказал он и вдруг покраснел – не так как давеча, а густо, мучительно. – Я ведь тебя обманул... Нет, сейчас не скажу... Потом скажу...

Это он про слежку, поняла Мавка. Дитё малое. С Романовым, конечно, труднее будет. Но ничего, как-нибудь справимся.

На секунду подступила тошнота при мысли о том, через что предстоит пройти. Но она отчаянно тряхнула головой. Дело есть Дело.

# ОДИССЕЙ И ЦИРЦЕЯ

Он ждал реакции со стороны Банщика. Нарочно не отлучался из квартиры, которую назвал во время собрания офицерам, чтоб «в случае чего» являлись и докладывали. Однако ответный ход был неожиданным.

Вечером, уже в темноте, вдруг явилась Учительница. Она держалась совсем иначе, чем во время предыдущей встречи. Была не отстраненно холодная, а улыбчивая, ласковая.

– Я знаю, вас вместо Жилина назначили. Слава Богу. Он был глупый человек. И хам. Работать на такого не хотелось, честное слово. А вы, Алексей Парисович, другое дело.

Что дурачком его считала – отлично. Он охотно ей подыгрывал. Пытался угадать, зачем пришла.

– Давайте сызнова знакомиться, – предложила Мавка, будто немного смущаясь. – Вы же мне теперь начальник. Будете задания всякие давать. И вообще.

Хороша она была до невозможности, чего лукавить. И отлично это знала. Но зачем пришла – не только ведь пококетничать?

– У вас тут проходной двор. – Она наморщила носик, кивнув за окно, где, что правда то правда, без конца сновали ординарцы да вестовые. – Пожалуйте ко мне. Я и стол накрыла.

– С великим наслаждением, – осклабился Алеша.

Внутри же весь подобрался. Присмотреться решили, ясно. Предстоит экзамен. Надо выдержать его на «отлично». Шанса на переэкзаменовку не будет.

– Сию минуту, моя русалочка. Только портсигар захвачу.

В спальне взял из тумбочки маленький плоский «браунинг», сунул в карман брюк. Вряд ли эта одалиска будет его убивать, но лишняя предосторожность не помешает.

Где-то поблизости должен находиться Калинкин, которому поручено следить за Учительницей. Если что – прикроет.

По дороге к Мавкиному дому, неся всякую развязную чушь, Романов пытался выявить Васино присутствие. То внезапно оборачивался, то нагибался поднять упавший платок. Калинкин вёл наблюдение безупречно – ни разу не засветился.

Оказавшись в горнице, Алексей, следуя роли, сразу же притянул девушку к себе. Был уверен, что она снова, как тогда, даст ему отпор, после чего можно будет изобразить оскорбленное мужское самолюбие и перейти к деловой фазе – послушать, какую словесную канитель она начнет плести. По ее вопросам, по речевым и интонационным нюансам можно будет о многом догадаться.

Сюрприз!

Неожиданно для подпоручика бывшая неприступная дева сама подалась к нему, жарко задышала, приоткрыла сочные губы.

Когда он замешкался, глухо прошептала: «Ну что же ты?»

Хлестаков, которого изображал Алеша, в такой ситуации мог повести себя одним-единственным образом. Поступить иначе значило провалить дело.

Проклиная все на свете: свою легенду, чертову шпионку с ее дешевыми капканами, службу в контрразведке, он поднял соблазнительницу на руки и обреченно понес в соседнюю комнату. Дверь, будто нечаянно, была приоткрыта и виднелась кровать.

К досаде прибавилась еще и паника. Какой может быть любовный пыл в подобном расположении духа? А если примитивный армейский бабник вдруг окажется неспособен к любовным утехам, это сразу выдаст его внутреннее напряжение, притворство, фальшь.

Только зря Алеша беспокоился. Он так давно не обнимал женское тело, а безмолвная русалка была так покорна, так хороша собой, что ни малейших затруднений не возникло. Совсем наоборот: в определенный момент пришлось до крови прикусить губу, чтобы напомнить себе – это не любовь, это служба. Он нарочно заставил себя думать о другой шпионке, столь же привлекательной, которая однажды разбила ему сердце. Думал пробудить в себе ненависть к притворщице Мавке, но вместо этого испытал еще более острое желание.

Учительница исполняла свою роль ничуть не хуже. Должно быть, имела изрядный опыт в постельном лицедействе.

И все-таки, несмотря на злые мысли и неотступную настороженность, это было чудесно. Как будто исчезли война, смерть, измена, ложь. Таково мистическое свойство самого естественного из человеческих занятий.

После страсти она, конечно, изобразила разнеженность, стала приставать с расспросами – чего и следовало ожидать.

Он тоже играл сладкую расслабленность. Сам мысленно повторял: гадость, какая гадость.

Будто насильно себя уговаривал.

Никогда себе этого не прощу, думала Мавка, а сама содрогалась от отвращения. Не к тому, что произошло – к себе.

Это было ужасно. Она готовилась вытерпеть унижение, боль, прилив тошноты. Вначале всё так и шло. Но потом...

Она ощущала себя предательницей. Но обманывать саму себя было не в ее правилах.

Следовало смотреть правде в глаза. Ей понравилось то, что произошло. Больше, чем понравилось.

Возможно, во время *этого* она забыла об Опанасе потому, что с другим мужчиной получилось совсем-совсем по-иному. Она думала, что они все непременно рвут, кусают, бросают короткие приказы. А оказывается, вовсе не обязательно. *Что если мужчины в постели вообще все разные*?

«На поле бранное похоже
Преступной нашей страсти ложе.
И кровь пѣнится, горяча.
Лобзанье – какъ ударъ меча»

О, теперь она была опытной женщиной. Два с половиной любовника (за половинку она посчитала прапорщика Васю) – это вам не один.

– Ты всегда такой с женщинами? – спросила она.

– Какой «такой»?

– Ну, такой... Нежный.

Он поглядел на нее с недоумением. Улыбнулся.

Что за чушь я несу, спохватилась Мавка. Разве о том надо?

– Ты теперь стал большой начальник, да?

– Ты даже себе не представляешь, насколько большой, – с готовностью ответил подпоручик. – Начальство наконец признало, что Романов на многое способен. Если б я мог тебе рассказать, ты бы ахнула. Не имею права. Но скоро ты всё узнаешь. Я, может, буду считаться исторической фигурой. Когда ты меня трогаешь, – он положил ее руку на себя, – можешь считать, что прикасаешься к истории.

И захихикал, как бы довольный своим остроумием.

Чем больше он болтал, тем быстрее приходила в себя Мавка. Вот теперь ей сделалось по-настоящему тошно.

Я развратная, я гнусная, думала она. Как я могла с этим пошляком, с этим ничтожеством так забыться! С москальской тварью, с самодовольной скотиной! Завтра будет офицерам в штабе хвастать, как хохлушечка под него сама подстелилась.

И захлестнула Мавку такая жгучая ненависть, что она выпрыгнула из кровати и кинулась к божнице.

– Ты куда?

– Нагрешила я. Хочу лампадку зажечь...

Трясущимися пальцами поднесла спичку к красной стеклянной чашечке.

Губы беззвучно шептали: «Здохни, зникни!»

Это был не секундный порыв. Обернувшись, она поглядела на оскорбителя холодным, брезгливым взглядом. Как на придорожную падаль.

Мужчина этот смертельно перед нею виноват. За смертельную вину расплата одна – смерть.

О Деле в эту минуту она не думала.

Немец прятался где-то во дворе. Когда Мавка входила в дом, на ветке можжевельника висела белая тряпица – условный знак, что прикрытие обеспечено.

Теперь где-то там, во мраке, дикий и страшный человек, от одного вида которого у нее всегда шел мороз по коже, готовился к убийству...

Скорей бы уж, сказал себе Мавка, гадливо содрогнувшись. А потом нагреть воды и мыться, мыться, мыться. Только такое не смоешь...

Она повернулась к подпоручику, ненавидя его еще лютей. Взялась за нижнюю юбку. Боялась, он станет мешать, снова лезть, но он тоже поднялся и быстро, по-военному оделся.

– Поговорим о работе? Потехе час, как говорится, а делу – время, – сказал Романов, важно супя брови. – Не только на мне, но и на всех моих сотрудниках нынче большущая ответственность. Теперь мы с тобой, можно сказать, свои люди. – Он подмигнул. – Служи, старайся. А я тебя отблагодарю.

И показал жестом, как именно отблагодарит.

Она деланно рассмеялась:

– Сейчас поговорим. Только мне, пардон, на двор нужно.

Надо было спросить Нимца, где и как он будет... выполнять свою работу.

– Я с тобой. Кавалер даму ночью из дома одну не выпустит. – Он щелкнул каблуками. – Шучу. У меня тоже зов природы. Ха-ха-ха.

Так оно даже лучше, подумала Мавка.

Ответила в тон:

– Мерси. Зачем тебе портупея? В латрину пускают без оружия.

Засмеялся. Но ремни с кобурой и шашкой надевать не стал. Очень хорошо.

Фиглярствуя, противный подпоручик с преувеличенной галантностью повел ее к дощатой будке, что стояла в дальнем конце двора. К сожалению, ночь была лунная. Мавка забеспокоилась, не помешает ли это Нимцу. Его пока было не видно, не слышно.

– Апре ву, мадам. Не тушуйтесь, я отойду.

Он пропустил ее вперед, сам остался снаружи. Громко топая, отошел на несколько шагов, стал насвистывать «Ах зачем эта ночь». Слух у подпоручика был отменный.

Вдруг ей стало очень страшно. Вот бы хорошо, если б Нимец выскочил прямо сейчас, пока она ничего не видит, и всё закончилось...

– Ау, киска, ты не уснула?

Она спохватилась, что ведет себя подозрительно. При такой тишине слышен каждый звук. И отсутствие звуков тоже... Чуть не плача от ощущения бесконечной мерзости происходящего, Мавка подняла юбку – но ничего не вышло. Внутри всё было словно зажато в кулак. Наконец сообразила. К стенке был приделан рукомойник, под ним наискось шел желоб. Пролила немного воды, позвенела струйка.

– Всё уже! Я сейчас!

Вышла, игриво посмеиваясь.

– Теперь вы, мой рыцарь. Не буду вас смущать. Подожду в доме.

– Нет уж, – живо сказал Романов. – Это нечестно. Я один боюсь, ха-ха. Ждать не заставлю. Раз-два и готово.

Он не хочет меня отпускать. Что-то заподозрил, испугалась Мавка. Тем более нужно кончать...

Стоило русскому закрыть за собой дверцу, как из густой тени абсолютно беззвучно вынырнул Нимец. Левой рукой показал: тихо! Правая была опущена. В ней поблескивала узким лезвием бартка.

Знаками крестьянин показал: пускай этот приступит к делу, тогда его и кончу. А потом кину в дыру.

Мавка задрожала. Но сказала себе: всё правильно. Кобелю собачья смерть. А зловонному греху зловонную могилу. Заодно и трупного запаха не будет...

И вдруг она словно очнулась. Что со мной? Я ли это?

Замотала головой: не надо! Схватила Нимца за рукав.

В этот миг из будки донесся звук льющейся струи. Нимец оттолкнул Мавку, сделал два быстрых шага.

Ударом ноги вышиб хлипкую дверь и тем же движением, весь подавшись вперед, обрушил страшный удар топора в раскрывшуюся щель. Раздался сухой треск.

Свет луны озарил внутренность латрины.

Мавка увидела, что на сиденье никого нет – лезвие с размаху вонзилось в доски. Сам Нимец едва удержался на ногах, упершись рукой в заднюю стенку. Романов же стоял сбоку, у рукомойника, пуская из него воду – в точности так, как недавно это делала Мавка...

Стремительный, словно распрямившаяся пружина, Нимец обернулся, хотел выдернуть бартку, но подпоручик коротко и резко ударил его кулаком в челюсть. Контрабандиста бросило в сторону. Он кинулся на офицера, норовя схватить его за горло. Второй удар, еще сильней первого, снова отшвырнул Нимца к стенке. Тогда он выдернул из-за пояса нож, занес его. Романов качнулся назад, сунул руку в карман галифе, и карман дважды выплюнул злое желтое пламя. На фоне ночного безмолвствия выстрелы были невыносимо громкими.

Нимец согнулся пополам, сел на пол и привалился к стульчаку, так и не издав ни звука.

Что-то дробно стучало сквозь вату, которой будто заткнуло уши. Это у меня зубы стучат, поняла Мавка и сглотнула. Слух прочистился.

«Кому отчизна дорога,
Назадъ ни шагу нынѣ!
Сразимъ у стѣнъ твердыни
Жестокаго врага!»

Офицер присел на корточки, заглянул мертвецу в лицо. Присвистнул.

– Битва народов в нужнике окончена, мадемуазель, – сказал он, выходя из будки и прикрывая дверь. – Куда это вы? Стоять!

На нее был направлен маленький пистолет. Мавка перестала пятиться, из нее будто разом ушла вся сила.

## БЕСЕДА БЕЗ ДУРАКОВ

По улице бежали люди. Судя по стуку сапог и металлическому бряцанью, военные.

Это был ночной патруль: офицер и двое солдат с винтовками наперевес. Примчались на выстрелы.

Романов обхватил Мавку левой рукой за плечо, оружие не спрятал.

– Что произошло? – закричал через изгородь старший патруля. – Это вы стреляли, подпоручик?

– Ну я. А вам что за дело? – заплетающимся языком ответил Романов. – Показываю мамзели, как стреляют у нас в контрразведке.

Он вскинул руку и двумя выстрелами разнес вдребезги две глиняные кринки, сушившиеся на плетне.

– Видала, душка? Теперь ты попробуй.

Офицер толкнул калитку.

– Немедленно сдайте оружие! Вы пьяны! И марш за мной на гауптвахту!

Романов надменно воззрился на него.

– А вы знаете, с кем вы разговариваете? Я Романов! Начальник отделения контрразведки! Особоуполномоченный штаба фронта! Без особого распоряжения оттуда, – он ткнул пальцем вверх, – меня даже командир дивизии арестовать не может. Ясно? Вот, у меня и удостоверение имеется...

Луна сияла так ярко, что патрульный начальник смог прочесть документ без фонаря.

– Черт знает что, – зло сказал он. – Я подам на вас рапорт!

– Хоть десять. А теперь адью. Разве вы не видите, я с дамой?

Подпоручик глумливо поклонился вслед патрулю и расхохотался. Но, едва военные исчезли из виду, моментально протрезвел и сказал Мавке тоном, какого она от него еще не слышала:

– Что ж, фрау Русалка, хватит нам морочить друг другу голову. Судя по ноктюрну, исполненному вашим помощником, вы меня раскусили. Я вас, представьте, тоже. Побеседуем-ка без дураков.

В хате он усадил ее за стол, и хотя стол был самый обыкновенный, обеденный, да и свету в горнице больше не стало, Мавке показалось, что она в кабинете следователя, на допросе, и глаза ей слепит яркая лампа.

Взгляд подпоручика был колюч и холоден. Голос сух.

– Для экономии времени. Я знаю, что вы работаете на вражескую разведку, а Жилина обманывали. Вы ведь явились к нему по заданию австрийцев?

Она распрямилась. В том, что можно больше не прикидываться, было даже что-то отрадное. А о последствиях она не думала, слишком много всякого пережила за эту ночь.

– Никогда не видела, как убивают, – сказала Мавка и обхватила себя за плечи. Они все еще дрожали.

Романов вдруг закашлялся. Вынул папиросу, раскурил. Надо же – у него тоже прыгали пальцы. А казался железным.

– Я вам задал вопрос. Не виляйте.

– Вопрос? А, про хозяев... – Она устало вздохнула. – Нет у меня никаких хозяев.

– Как это?

– А так. Хватит нам под хозяевами жить.

– Кому «нам»?

– Украинцам. Украине. Мне что Москва, что Вена, все едино. Чем больше вы друг дружке крови выпустите, тем слабее станете.

Говорить правду было хорошо. Мавка лишь повторяла то, о чем много раз толковал ей Опанас. Это он велел ей сначала предложить свои услуги австрийцам, потом русским. Но про это, конечно, подпоручику знать незачем.

– Сейчас Австрия слаба, вы ее давите. Наступление вон затеяли. Если оно удастся, Австрия может рухнуть. Тогда вы, москали, слишком много о себе возомните. Никогда не выпустите нас из своих медвежьих лап. Еще и западную Украину заграбастаете. Вот почему я сейчас помогаю им, а не вам.

Она еще долго говорила о Деле. О том, чем была наполнена ее жизнь все последние годы. И от этих речей на душе понемногу становилось легче. Плечи больше не тряслись.

– Вы, стало быть, жрица Идеи? – язвительно спросил подпоручик, когда она закончила. – Чистая и непорочная? Что ж вы тогда с врагом в постель полезли?

– А вы? – спокойно ответила она.

Он опять закашлялся.

– ...Ладно. Перейдем к практической части. Как вы держите связь с той стороной?

Мавка снова стала осторожной.

– Раньше через Нимца. Теперь не знаю.

И не дрогнула под цепким, недоверчивым взглядом.

– Вот вам мое предложение, – сказал Романов после длинной паузы. – Делаю вам его только потому, что... – Он покосился в сторону спальни. – Сами знаете почему. Законы военного времени гарантируют вам виселицу. Но вы правы. Я... я тоже хорош. И мысль о том, что веревка сдавит шею, которую я...

Он не договорил и вдруг залился краской. Мавка смотрела на него с удивлением, будто только сейчас по-настоящему разглядела.

Подпоручик сердито загасил папиросу. В пепельнице было уже с полдюжины окурков, некоторые почти целые.

– Не думайте, что я в вас влюбился. Вы мне отвратительны! – буркнул он. – Но вашей смерти я не желаю. Вот единственный ваш шанс: начинайте работать на нас. Всерьез, без двурушничества. Сейчас такой момент, когда ваша помощь может нам сильно пригодиться. Насчет независимой Украины я мало что понимаю. Не моего ума дело. Однако напрасно вы думаете, будто мы побеждаем. Немцы с австрийцами нас здорово прижали, из последних сил сдачи даем. Если в этот раз не победим, будет ваша Украина австрийской. Вы этого добиваетесь?

Она покачала головой. Но думала в эту минуту вовсе не об Австрии и даже не об Украине.

– В общем, решайте. Даю срок до завтра.

– А если откажусь, что? – с любопытством спросила Мавка. Подпоручик был ей очень интересен. – Отправите на виселицу?

Романов насупился. Молчал минуты две.

– Если откажетесь, то просто исчезните. Чтоб я вас больше не видел. И австрийцы тоже...

## НАКОНЕЦ-ТО ОДИН

Ему сейчас хотелось только одного – поскорей оказаться наедине с собой. Но, даже выйдя со двора, уйти Романов пока не мог.

Остановился у околицы, чтобы его было видно из хаты. Закурил, задрал голову – вроде как любуется звездным небом.

В кустарнике что-то хрустнуло.

– Вася, ты? – тихо позвал он.

– Никак нет, – раздалось из кустов. – Прапорщик еще с вечера велел мне сюда встать, а сам у хаты Банщика залег. Виноват я, ваше благородие. Не видел, как Нимец вылез. Отсюда глядеть – колодец загораживает. Но вы, слава Богу, сами управились...

Не понравилось Алеше, что Калинкин своевольничает. Но, с другой стороны, хорошо, что Слива здесь.

– Значит, так. – Он выпустил вверх струйку сизого дыма. – Бегом туда. Калинкина сменить. Самое главное место сейчас у хаты Банщика – могу доверить этот пост только вам. Объяснять некогда. Главное вот что: если Учительница туда явится, вызывайте наряд и берите обоих. Ясно?

– Так точно.

– Калинкин пусть мчится сюда и стережет Учительницу. Я уйду, как только он прибудет сюда. Исполняйте.

Шорох, приглушенный звук шагов, тишина. Отличный все-таки работник Семен Слива. Ни одного вопроса, ни одной зря потраченной секунды. А что Нимца проглядел, так из кустов часть двора действительно не просматривается.

Логика у Алексея была простая. Если Мавка останется дома, значит, согласна на сотрудничество. Если же кинется к Банщику, делать нечего – придется обоих арестовать. Всё равно роль болтуна-хлестакова провалена.

Существует еще одна возможность. Не особенно вероятная, однако исключать ее нельзя. Что Банщик – сам по себе, а Учительница связана не с ним и побежит докладывать кому-то другому. На этот случай тут будет дежурить Калинкин. Откроется еще один австрийский след – превосходно.

Докурил одну папиросу, зажег другую. Все время оставался на виду, прохаживался вдоль околицы, как бы в задумчивости. Пусть Мавка думает, что он колеблется, правильно ли поступил, оставив ее одну. Пусть понервничает.

Минут через десять в дальнем конце улицы показался тонкий силуэт Калинкина. Он бежал, подавал знаки, что хочет поговорить. Но объясняться с ним сейчас было некстати.

Романов сердито отмахнулся – от Калинкина, но Мавка, если подглядывала, должна была подумать, что чувствительный подпоручик жестикулирует сам с собой, отгоняет сомнения.

Сразу после этого Алексей очень быстро ушел. Завернул за ближайший угол и наконец-то смог немного расслабиться.

Все распоряжения отданы, неотложные меры приняты. Можно разобраться в мыслях и чувствах...

Он вернулся к себе, долго ходил из угла в угол.

Разобраться в мыслях и чувствах, увы, не получилось. Нужно было с кем-то поговорить. На свете имелся лишь один человек, с которым он мог поделиться своим смятением, кому мог излить душу.

Из штаба позвонил Козловскому. Час был поздний, удалось застать князя на квартире.

– Сейчас оденусь. Через четверть часа буду у аппарата, – сказал он сонным голосом, когда Алексей объяснил, что хочет пообщаться по защищенной линии.

Гарантированная от прослушивания телефонная связь была налажена между фронтовым управлением и радиопунктом, откуда Романов отправлял шифровки.

– Не спеши. Мне еще ехать в соседнюю дивизию, – сказал подпоручик. – Ночью это минут тридцать.

Гонка по темной дороге на мотоцикле немного остудила его. Стоит ли обсуждать всё это с Лавром? Только лицо потеряешь. Фу-ты ну-ты, скажет Козловский, какие нежности.

Поэтому, соединившись с управлением, он доложил только факты.

– И ты из-за этого поднял меня с постели? – Козловский длинно выругался. – Ну, попробовал ты перевербовать агентку. Сам еще не знаешь, получилось или нет. Надо ли арестовывать Банщика, тоже пока неясно. Ёлки зеленые, я прошлую ночь вообще глаз не сомкнул. И сейчас только-только прилег. А через два часа вставать! Не мог ты, что ли, до утра подождать? Это на тебя не похоже. Ты чего-то недоговариваешь?

Тогда Алексей глухо произнес:

– Лавр, паршиво мне. Во-первых, я с женщиной переспал. Без любви, даже наоборот. Из практических соображений. Как шлюха...

– С Учительницей этой?

– Да...

– Молодец. Стал настоящим контрразведчиком. – Князь зевнул. – Я не понял. Она что, крокодила какая-нибудь? Тогда тем более герой.

– Нет, она красотка...

Подполковник встревожился:

– Сифилитичка? Не психуй, дело поправимое. Я к тебе доктора пришлю...

– А во-вторых, я человека убил. В упор...

– Ну да, ты говорил. Нимца этого. И что?

– Первый раз в жизни. Меня много раз пытались, а сам я – впервые. Понимаешь, он шустрый такой, нож у него. А у меня «браунинг» маленький в кармане галифе. Ну, я колено согнул, и прямо через ткань... Он даже не крикнул. Наповал, представляешь?

– Наповал – это редко бывает, если из маленького «браунинга», – признал Козловский. – Что убил, жалко. Лучше бы оглушил. Хотя плевать. Все равно он немой. В общем, опять ты молодец. Поздравляю. Стал настоящим мужчиной.

– Спасибо...

Не надо было телефонировать, подумал Романов. Никто тут не поможет. Самому надо свыкнуться.

Но князь, оказывается, все отлично понял.

– Брось, Лёша. Дело банальное. Не ты его, так он бы тебя. Я, брат, тебе тоже кое-что расскажу... – По линии секретной связи прокатился тяжелый, продолжительный вздох. – Сон мне снится. Почти каждую ночь. Парнишка конопатый, плачет. Помнишь, на Днестре-то?

– Еще бы не помнить...

– А ты говоришь, Нимец. Ладно, пойду я. Может, подрыхну сколько-нисколько.

После этого разговора сделалось Романову легче. Всегда так бывает, когда кому-то хуже, чем тебе.

Начальник дивизионной контрразведки завтракал в офицерской столовой, пребывая в гордом одиночестве. А может, не в таком уж и гордом. Время было оживленное, за остальными столиками свободных мест почти не было, но к подпоручику никто не подсаживался. Он ловил на себе косые, неприязненные взгляды. Не полюбили «особоуполномоченного» в 74-ой.

Это было хорошо и правильно. Алексей еще и нарочно форсировал надменный вид, с многозначительной прищуренностью впивался глазами то в одного, то в другого. Именно так себя вел бы прыщ на ровном месте, изображая солидную возвышенность.

Расположился Романов основательно и надолго. Заказал большую яичницу, поджаренного хлеба, потом чаю. Сидение в кантине могло затянуться. По уговору с сотрудниками (некоторые из них были внештатными, неочевидными), по утрам с восьми до половины десятого подпоручику полагалось находиться здесь, у столика, с которого просматривалась главная и единственная площадь Русиновки.

Состояние у Алексея после тяжелой ночи было несколько оцепенелое, но в общем спокойное. Даже удивительно. Ведь сегодня, вероятно, решится успех дела. Судя по тому, что ни от Сливы, ни от Калинкина вестей не поступало, Учительница к Банщику не пошла. Это просто отлично.

Едва он это подумал, как вдруг увидел выходящего из переулка Васю. Он двигался по направлению к столовой, решительно отмахивая правой рукой. Левая прижимала к боку шашку. Был прапорщик бледен, с кругами под глазами. После бессонной ночи на посту оно неудивительно. Кого, интересно, он оставил вместо себя у Мавкиной хаты?

Это первое, о чем Романов спросил помощника, когда тот сел рядом.

– Никого.

– Ты отлучился и оставил Учительницу без присмотра? Почему?

– Потому что я за ней не присматривал.

Калинкин нынче был странный. Лоб выставил вперед, словно бычок, затеявший бодаться. Губы сжаты. Глаза сверкают.

– Я еще ночью хотел тебе сказать, но ты отмахнулся и исчез... Надо было догнать, но я смалодушничал. До утра собирался с духом... В общем, я тебе вот что хочу сказать. – Не похожий на себя прапорщик теперь выпятил подбородок. – Я отказываюсь подглядывать за Мавкой. Потому что это низко. Во-первых, она никакая не шпионка. А во-вторых... Я на ней женюсь. Вот!

Последние слова он выпалил единым залпом и, густо покраснев, уставился на Романова, потерявшего дар речи.

– Она ни в чем не виновата, – с нажимом продолжил Вася. – Я за нее ручаюсь. У меня есть это право после... после того, что у нас с ней было.

«Ты слишком пылокъ, юный воинъ,
И слишком духомъ неспокоенъ.
Тебя научитъ ветеранъ,
Какъ избѣжать ненужных ранъ»

– А? – поперхнулся Романов. – Было? Когда?

– Вчера днем. Я потому и послал вместо себя Сливу. Чтобы не быть перед ней подлецом после... ну, этого. А потом понял, что все равно это скверно. Следить за своей невестой я сам не буду и никому не позволю!

Алеша бешено затряс головой, чтобы скинуть проклятое оцепенение.

– Погоди, – холодея сказал он. – Я правильно понял? Ты ночью возле ее дома не дежурил? Вообще?

## МИНУВШЕЙ НОЧЬЮ

Зря Романов, поджидая Васю, демонстративно прохаживался с папиросой около Мавкиного дома. Она не смотрела в окно. Она сидела там же, где он ее оставил, погруженная в задумчивость.

Всё на свете оказывалось не таким, как ей раньше представлялось. Во всяком случае, многое. Этой ночью она изменилась. Мир изменился. Жизнь изменилась. Всё изменилось.

В плохую сторону.

И мир, и жизнь, и сама Мавка утратили незамутненную ясность. Что с этим делать, непонятно. Но так, как раньше, уже не будет, это очевидно.

Просидев у стола час или даже больше, Мавка наконец поднялась. Накинула на плечи шаль.

Нужно идти к Опанасу.

Днем она летела к нему как на крыльях. Теперь шла, будто на казнь.

Это не помешало ей проверить, нет ли слежки.

Слежки не было. Ни возле дома, ни снаружи – Мавка нарочно попетляла по улицам.

Еще один балл в пользу подпоручика Романова, подумала она в школьных терминах. Его оценка повышается с «хорошо» до «отлично». Как странно: тот, кого ты считала жалким клопом, оказывается живым человеком, способным на сильные поступки. Из-за этого случившееся стократно ужасней. Такую занозу из памяти легко не выдернешь.

Она спохватилась, что терзается не из-за главного – не из-за своего провала, а из-за ерунды, мелочи. Подумаешь, кто-то с кем-то поскрипел кроватными пружинами – к Делу это не имеет никакого отношения.

Но для меня имеет, ответила себе она. И для Опанаса. Не то, что «поскрипела», а что заноза в сердце осталась. Как ему об этом рассказать? Но и умолчать нельзя...

Через подземный ход она шла на подгибающихся ногах, готовая ко всему. Сейчас он спросит... Нет, просто взглянет на нее, и всё сразу поймет. Упреков, конечно, не будет. Он ведь сам ей это поручил. Можно представить, чего стоило ему ожидание...

Дойдя до погреба, Мавка остановилась, чтобы собраться с силами. Она знала, как всё произойдет.

Опанас выслушает ее отчет. Сухо поблагодарит за важные сведения. Обязательно скажет что-нибудь про ее самоотверженность и про то, как сильно она помогла Делу. Наверное, еще и руку пожмет. Этого рукопожатия она страшилась больше всего. Оно будет означать, что *главное* меж ними кончено. Навсегда...

Наверху откинулся квадратный люк, вниз пролился неяркий свет.

– Нимец, ты? – донесся тихий голос Опанаса.

– Это я...

Он быстро спустился по лесенке, прикрыв за собой дверцу. В руке у него была керосиновая лампа, за поясом револьвер.

– Почему ты? Я же запретил...

Она молчала, опустив глаза.

Сейчас спросит: «*Было?*»

– Черт тебя подери! Я ведь предупредил, тебе здесь появляться нельзя! За тобой слежка!

– Нет слежки. Я проверила...

Опанас раздраженно взял ее за подбородок, поднял лицо к свету. Сейчас увидит глаза, и всё поймет...

Она зажмурилась.

– Что ты молчишь? – нервно сказал он. – Я тут, как на иголках... Ты раскусила Романова? Что он за фрукт? Простак или хитрец? И почему не пришел Нимец?

Ему наплевать! Он об *этом* и не думал!

Мавка открыла глаза и увидела, что не ошибается. Терзающийся ревностью мужчина так не смотрел бы. Во взгляде Опанаса читались лишь нетерпение и требовательность.

Только что внутри у нее всё трепетало, жгло, саднило. И вдруг стало холодно, бесчувственно.

– Да проснись ты! Отвечай!

Ну, она и проснулась. Как после долгого горячечного сна. Поглядела на стоящего перед ней усатого настырного мужчину, словно никогда раньше его не видела.

– Нимец убит. Романов его застрелил.

– Проклятье! Так я и знал! «Дурочку» подкинули! – Он тряхнул ее за плечо. – Говори, не молчи! Как это случилось? И, главное, почему тебя отпустили? Ты точно не привела хвоста?

Грубый, хищный, *чужой*, подумала она.

И вдруг, неожиданно для самой себя, наврала:

– Это произошло случайно. По недоразумению. Я заваривала чай, а болван Романов взял да зажег красную лампаду. Захотелось ему пущей интимности...

Ужаснулась: что я несу? И замерла – вот сейчас он скривится на слово «интимность» и наконец спросит.

Но Опанас упустил свой последний шанс.

– Холера! Всего не предусмотришь! И Нимец решил, что это сигнал? Понятно. Что было потом?

Русский вышел во двор, до ветра. Я всё еще с самоваром возилась... Вдруг – выстрелы. Два.

– Я их слышал.

– Романов решил, что на него накинулся какой-то мой воздыхатель. Из ревности. Я не перечила. Да, говорю, ходил за мной полоумный какой-то, проходу не давал.

– И он поверил?

– Почему нет? Разве я не способна внушать безумную страсть? – Она улыбнулась презрительно – презрение адресовалось Опанасу, а он и не понял.

– Значит, подпоручик глуп?

– Как пробка. Я ему говорю: спрячь труп, сейчас патруль прибежит. Этот инцидент повредит твоей службе и моей репутации. Знаешь, что он сделал?

– Что?

– Кинул Нимца в отхожую яму.

Опанас только головой покачал.

– А дальше?

– От патруля он избавился быстро. Сказал, что учит меня стрелять из пистолета по горшкам. Показал удостоверение контрразведчика – они ушли.

– Буффонада какая-то. Но выстрелы были давно, в третьем часу ночи. Что было после?

– Всё, – с многозначительной улыбкой ответила она. – Всё, чего ты хотел.

Ну-ка, что он на это?

Удивился:

– После убийства у вас хватило куражу на любовные утехи?

Мавка зло рассмеялась.

– Романов так перья распустил. Как же, герой – одолел соперника. Самец-победитель.

Вот теперь он ее поцеловал – деловито.

– Умница ты у меня. Довела дело до конца. Разъяснила ты подпоручика?

– Там нечего разъяснять. Парень он храбрый, ловкий. И кобель первоклассный...

Опанас на это и глазом не моргнул. Ей, правда, было уже все равно – моргнет, не моргнет.

– Но дубина дубиной. Говорю тебе со всей определенностью: этой дурьей башке ни за что не поручат вести важное дело. Исключено.

– Уверена? На сто процентов?

– На двести.

Тут он обнял ее по-настоящему, стал целовать, даже предпринял попытку повалить на топчан, где давеча они предавались страсти.

– Пусти, – сказала Мавка. – А то меня вытошнит.

Он не очень-то и настаивал.

– Бедняжка, что ты вынесла... – У самого глаза прищуренные, смотрят в сторону. О другом думает. – Но это было не напрасно. Теперь русские у нас вот где!

Он потряс кулаком, но его мысль уже бежала дальше.

– Нимца нет. Значит, не будет и обратной эстафеты. По уговору в этом случае пришлют дублера-инспектора, через двое суток. Сидеть без дела я не стану... Скажи-ка, кохана, – Опанас ласково погладил ее по волосам, – а на что, по-твоему, можно взять этого Романова?

– Ты хочешь его завербовать? – удивилась Мавка. – Офицера русской контрразведки?

– Попытка не пытка. – Опанас азартно улыбался. – Раз он способен втихомолку спустить соперника в выгребную яму, да еще хвастлив и глуп... Неплохой материал для вербовки. Что посоветуешь? Ты по Романову теперь специалистка. Деньги?

Она смотрела на него с мстительной усмешкой. Ловец человеческих душ! Попадись на собственный крючок!

– Скорее шантаж.

– Но ты говоришь, он храбр?

– Физически храбрые люди часто боятся мнения окружающих или начальства. У Романова есть начальник, какой-то подполковник, от которого этот болван просто леденеет. Козловский, кажется, – вспомнила она разговор между Романовым и Жилиным в самый первый вечер.

– Так-так, князь Лавр Козловский – начальник фронтового управления. Отличная идея! Ты у меня действительно золото. Теперь я знаю всё, что нужно. Твоя помощь больше не понадобится. И встречаться нам теперь нельзя. Держись от меня подальше, хорошо?

– Хорошо, – согласилась она, подставляя щеку для поцелуя. – Буду держаться от тебя далеко-предалеко.

«Буря надъ полемъ шумитъ,
Травы подъ вѣтромъ склоняя.
Прочь изъ постылаго края.
Птица на волю летитъ»

Когда она выбралась из норы к реке, рассвет еще не начался, но небо на востоке начинало подсвечивать багрянцем. Дул свежий, вольный ветерок.

К себе в хату Мавка возвращаться не стала. Не было там ничего такого, что ей хотелось бы взять с собой.

Она долго шла по берегу, потом поднялась на обрыв и пошла тропинкой через большое темное поле. Чтоб ни о чем не думать, шептала любимые стихи:

Далі, далі від душного міста!
Серце прагне буять на просторі!
Бачу здалека – хвиля іскриста
Грає вільно по синьому морі.

## НЕОЖИДАННЫЙ ПОВОРОТ

– Господи, Вася... Ведь она могла его предупредить! Да наверняка предупредила! Что ты натворил?!

Калинкин нахмурился:

– Кого «его»?

– Банщика! Или другого кого-нибудь, с кем она связана! Я тут сижу, а в это время, может быть...

Романов умолк – не потому что прапорщик сердито перебил его: «Ни с кем она не связана!», а потому что увидел в окно, как из-за угла выходит Петренко. Он выглядел спокойным, даже веселым. Шел к столовой. Некоторое время спустя из-за того же угла показался Слива. Унтер-офицер остановился подле входа в штаб и стал внимательно изучать доску с приказами.

– Марш отсюда! – быстро сказал Алексей. – Живо, живо!

Пухлые губы Калинкина задрожали от обиды.

– Вы не смеете со мной так! Я тоже офицер! Извольте по уставу!

– Да исчезни ты! – шикнул подпоручик. – Жди меня в умывальне! Он не должен видеть тебя со мной!

Когда Банщик вошел в залу, начальник дивизионной контрразведки увлеченно поедал яичницу, прихлебывая чай.

Петренко подошел с приветливой улыбкой.

– Я вижу, у вас свободно. Не возражаете?

– Милости прошу.

Что это значит? Была у него Учительница или нет?

По-прежнему доброжелательно глядя на подпоручика, Банщик сделал солдату заказ:

– Принеси-ка мне, хлопче, кофею. Харч у вас тут поганый, но кофей варить вы умеете.

Солдат, в прежние времена служивший официантом в первоклассном столичном ресторане, изобразил на лице одновременно восторг по поводу похвалы «кофею» и скорбь из-за критики «харча», умудрившись при этом за счет одной только мимики еще и обозначить деликатное несогласие с такой оценкой. Обслуживание в дивизионной столовой было выше всяких похвал.

Прапорщик представился. Пожали руки.

– Я вижу вам тут обструкцию изображают. – Петренко кивнул на соседние столы. – Не удостаивают. Глупый армейский снобизм. Как дети, право. Я ведь был на собрании, слышал. Вы им о важном, а они только и думают: молокосос, выскочка, развоображался. Не любят у нас контрразведку. А из-за предрассудков дело страдает.

Он еще довольно долго рассуждал на эту тему, всё так же рассудительно и гладко. Романов сначала изображал настороженность, потом понемногу оттаял.

– Честно говоря, мне в вашей Русиновке не очень уютно, – признался он. – Правду вы сказали. Я только службу исполняю, а все на меня щерятся. Не во мне даже штука. Мы, контрразведчики, без помощи личного состава мало что можем. А ко мне за все время ни один человек не пришел, не доложил. Не может же быть, чтоб вокруг не происходило совсем ничего подозрительного?

– На меня можете рассчитывать, – пообещал Петренко. – Я, конечно, человек маленький, но тоже глаза имею. Вот, к примеру, прачечное хозяйство подо мной, так? Почти все офицеры, кто в Русиновке расквартирован, дают свое белье стирать. Я велел принимать. Бесплатно, по-товарищески. У меня этим фельдфебель заведует, приметливый. По белью, извините за натурализм, о человеке много чего рассудить можно. И мой Савчук приучен: как что примечательное – извещает.

– Например, что? – заинтересовался подпоручик.

Собеседник понизил голос:

– Например, у сотника Штирнера из казачьей батареи кальсоны – чистый шелк. Рубашки – батист, с монограммой. А с каких богатств? Жалованье у нашего брата известно какое. Я нарочно поинтересовался, что за семья. Папаша у Штирнера мелкий чиновник, жены с приданным не имеется. А у сотника, между нами, еще и портсигар золотой. Подозрительно?

– Еще как! Вы молодец, Афанасий Никитич. Сметливы, наблюдательны. Эх, зря талант тратите в своих банях-прачечных. Еще кто-нибудь кроме Штирнера у вас на заметке имеется?

– А как же. – Петренко огляделся. – Только лучше не здесь. Вон уже, косятся... Будут говорить, что я наушничаю. Знаете что? Пойдемте ко мне. Бросьте вы эту яичницу, она на прогорклом масле пожарена. У меня снедь домашняя, деревенская. И настоечка на коньяке – под хороший разговор.

– На коньяке? – с интересом переспросил подпоручик. – А вам на службу разве не надо?

– Я птаха вольная. – Афанасий Никитич подмигнул. – Может, я поехал полковые бани инспектировать? Поди меня проверь. Ну что, переместимся в приватную обстановку?

– С удовольствием. Только навещу некое место...

В умывальной Романов крепко взял Калинкина за локоть.

– Банщик сделал ход. С какой целью, пока непонятно. Иду к нему. Возможно, хочет меня добить, ночью-то у них не вышло. Не перебивай, про это после расскажу! – цыкнул он на прапорщика. – Хотя вряд ли будет он меня кончать. Не стал бы уводить при таком количестве свидетелей. Скорее всего, попытается напоить и что-нибудь выведать. Но ты на всякий случай прикрывай. Следовать за нами не нужно. Где живет Петренко, ты знаешь. Скажи Сливе, чтобы разыскал Учительницу. Она или у себя, или... В общем, пусть из-под земли достанет. Семен тут все тропки-дорожки знает. Найдет.

Видя, что Вася собирается спорить, Алексей прибавил:

– Я тебе потом обрисую, что за фигура эта Мавка, жених хренов!

– Не утруждайтесь, господин подпоручик. Я гадостям про нее все равно не поверю. И унтер-офицеру ничего такого передавать не стану!

Препираться с ним было некогда. Романов процедил сквозь зубы, холодно:

– Прапорщик, это боевой приказ. Невыполнение равнозначно измене. Выполняйте!

Стерев с лица эмоции, Вася кинул руку к козырьку:

– Слушаюсь!

– Ну то-то.

# СОБУТЫЛЬНИКИ

Не была у него Учительница. К такому выводу Алексей пришел, наблюдая за поведением Банщика. Если б была и рассказала о событиях ночи, Петренко не действовал бы так грубо, в лоб. Он вел себя с контрразведчиком, будто с законченным идиотом. Это очень хорошо. И что Мавка, очевидно, приняла сделанное предложение о сотрудничестве, тоже отлично.

Эти мысли не мешали подпоручику участвовать в разговоре, тем более что болтал в основном милейший Афанасий Никитич. Он был сущим кладезем полезных и любопытных сведений о Русиновке, ее обитателях и офицерах гарнизона.

Хата у него внутри оказалась хоть и скромно обставленная, но опрятная, даже с определенным уютом. И стол был накрыт заранее: круг полукопченой колбасы, козий сыр, зеленый лук, вареные яйца, коробка сардин и, конечно, пузатый графин.

– Смородиновая, – похвастал хозяин и в два счета наполнил рюмки. – Ну, за знакомство.

– И плодотворное сотрудничество, – с нажимом подхватил Романов, как бы намекая, что отныне считает прапорщика своим информатором.

– За это с дорогой душой, – очень серьезно и с искренним чувством согласился Банщик.

Опрокинул настойку залпом.

А Романов, изображая неуклюжесть, свою задел рукавом. Черт его знает, Петренку. Не подсыпал ли на донышко отравы?

– Ах, беда! Драгоценная влага утекает! – заполошился подпоручик, скорбно глядя на стекающий по клеенке ручеек. Рюмка раскололась надвое.

– На счастье, – успокоил его хозяин. – Только налить больше некуда. У меня их две всего.

– Давайте из одной, по очереди, – предложил Алексей. – Раз уж вы теперь мой сотрудник.

– С одним условием. – Петренко с шутливой строгостью поднял ладонь. – Коли выпьем на брудершафт. Лакать из одной рюмки – все равно что побрататься.

Поцеловались. Романов выпил, закусил. Делая вид, что ковыряет в зубах, проглотил таблетку от опьянения.

– Ты первый приличный человек, Афоня, кого я встретил в этой клоаке.

– Выпьем за это.

После третьей сняли портупеи и кителя. После пятой Романов запел «Выхожу один я на дорогу».

Петренко слушал, пригорюнившись. Даже слезу смахнул.

– Ох, и голос у тебя, Лёша. Собинов!

– Нет, у Собинова тенор, – с достоинством возразил подпоручик. – А у меня баритон. Меня, если хочешь знать, в оперу звали.

– А «Сладкие грезы любви» можешь? Моя любимая.

– Могу. Хотя ее лучше басом.

Запел «О, где же вы дни любви». Афанасий Никитич не выдержал, стал подпевать. С ходу изобрел партию второго голоса, выводил просто чудесно.

– Музыкальный вы народ, малороссы, – сказал Алексей, съехав локтем со стола. – За вас!

Рюмке примерно на десятой Банщик решил, что пора – не то гость станет негож для разговора.

– Ну а все-таки, Лёш, как товарищ товарищу, – сказал он без обиняков. – Что у нас тут затевается?

Романов приложил палец к губам, подмигнул сразу двумя глазами.

– Извини, Афоня. Не имею права. Даже тебе. У нас в контрразведке – сам знаешь. – И запел: – «О, если б мог выразить в звуке...»

«Гдѣ вы, гдѣ вы, сладки грезы,
Что навѣяны любовью?
Пьемъ мы лишь горючи слезы
Пополамъ съ соленой кровью»

– «Всю силу страданий моих», – подхватил хозяин.

Попели, попили еще.

– Не хочешь говорить – правильно делаешь. – Петренко положил ему руку на плечо. – Понимаю, уважаю, чту. Только я без тебя обо всем догадался. Саперы не оборону укрепляют. Они готовят огневые позиции для тяжелой артиллерии. Наступление будет на нашем участке, вот что. Прорыв. У Афанасия Петренко голова министерская.

Он постукал себя пальцем по лбу.

А на пьяного вдребодан контрразведчика накатил приступ неудержимого хохота.

– Шницель у тебя по-министерски вместо головы, – заплетающимся языком еле выговорил он. – Уморил...

– Ты чего?

– А представил, как ваши дворники с швейцарами и официантами на прорыв идут. С метлами, с совками, с салфетками... Ой, помру...

– Так что, не будет наступления?

– П-почему не будет? Будет. Зададим австрияку по первое число. Но только не у вас. Ты на меня погляди, Афоня. Я кто?

– Орел.

– Понятно, что орел. Но ты мой чин видел? То-то. Кто мне поручит место прорыва прикрывать? – Здесь

Романов словно спохватился и попробовал выпрямиться. – Но мое задание тоже ги...ик...гантской важности. Называется «операция прикрытия». Понял? Эх ты, стратег банно-прачечный. Выпей лучше.

Петренко опрокинул еще рюмку.

– Ловко задумано. Не дураки у вас заправляют.

– Дип...диспозицию разработал сам князь Козловский! – Романов закатил глаза к потолку. – Из Петрограда. Живая легенда контрразведки! Зевсгро...мро...

Слово «громовержец» Алексею так и не далось – без притворства, по-настоящему. Это означало, что с настойкой пора заканчивать. Таблетка спасала от опьянения, но не от прочих, менее приятных последствий передозировки алкоголем: онемения речевого аппарата, торможения мыслительных способностей, не говоря уж о тошноте и похмелье.

А Петренко лил еще. Обнял сникшего товарища, задушевно спросил:

– Где ж тогда будет наступление, если не у нас?

Подпоручик хихикнул:

– Так я тебе и сказал. Давай лучше споем. Что-нибудь ваше, туземное. Как это, про сад зеленый...

Но до «Сада зеленого» не дошло. Голова контрразведчика упала на грудь, Романов громко всхрапнул. Застолье было окончено.

## ТЯЖКОЕ ПОХМЕЛЬЕ

Тряпка, пропитанная едко пахучим уксусом, мазнула по лицу спящего. Он замычал, открыл мутные глаза. Снова зажмурился – сквозь окно светило низкое послеполуденное солнце.

Ресницы снова разлепились. Подпоручик очнулся.

Он лежал на лавке. Судя по углу солнечных лучей, прошло довольно много времени, часов пять или шесть. Хозяин дал гостю возможность отлежаться и слегка протрезветь.

Голова болела ужасно, привкус во рту был такой, словно Алексей нажевался ржавого железа. Но это не самое скверное.

Притворившись, что отключился, Романов спать вовсе не собирался. Он отлично помнил, как Банщик перетащил его к стене и привел в горизонтальное положение. Потом шпион ходил взад-вперед по комнате, и Алеша посматривал за ним сквозь прикрытые веки, был настороже. И в конце концов не заметил, как провалился. Непростительная оплошность! За эти часы могло произойти что угодно.

– Подъем, Алеха, подъем! – тряс его за плечо Петренко. – Ласточка с весною в сени к нам летит!

Прапорщик-то выглядел огурцом. Подтянут, свеж, чисто выбрит. Таким молодцом он и до пьянки не был. Что-то в нем изменилось. Будто выше ростом стал, прямее. И взгляд другой. Острый, прямой, жесткий. Закадычный друг Афоня то ли от природы был невосприимчив к спиртному, то ли у них в разведке использовали антиалкогольные таблетки повыше качеством.

– Мама моя, – простонал подпоручик, хватаясь за виски. – Где я? А, это ты, Афоня

– Я не Афоня.

Петренко спокойно глядел на него сверху вниз.

– Как не Афоня? – удивился Романов, сел на лавке и снова застонал – не очень-то и притворяясь. – Мы вроде на брудершафт пили. Ты ведь Афанасий Никитич? Значит, Афоня. По-вашему, по-украински, Опанас.

– Не Афоня и не Опанас. Меня зовут Фридрих.

– Фридрих П-петренко? – Подпоручик неуверенно хихикнул. – Ну тебя к черту. Не до шуток. Башка гудит.

– Фридрих Зюсс. Обер-лейтенант императорско-королевской армии. – Банщик щелкнул каблуками и рывком опустил-вскинул подбородок. Но сразу после этого помягчел лицом, улыбнулся и даже подмигнул – словом, опять превратился в Афоню Петренко. – Такая вот штукенция, Лёшик. Что глазами хлопаешь? Жизнь полна сюрпризов.

– Сплю я, что ли... – пролепетал контрразведчик, уткнувшись носом в ладони.

– Нет, душа моя. Ты не спишь. Хочу напомнить, если ты спьяну запамятовал. Давеча ты выдал мне секрет огромного стратегического значения. Теперь мы знаем, что на этом участке наступления не будет. Ваша контрразведка проводит здесь операцию прикрытия.

– О господи...

Раздвинув пальцы, подпоручик посмотрел на обер-лейтенанта расширенными от ужаса глазами.

– Пока ты сладко спал, я отправил за линию фронта связного. Ты государственный преступник, Лёшенька. Тебя, как говорится, расстрелять мало.

Внезапно похмельный страдалец, казалось, с трудом удерживавшийся в сидячем положении, с силой оттолкнул Петренку-Зюсса, подбежал к стулу, на котором висела его портупея и схватился за кобуру. Она была пуста.

– Твой «наган» у меня, – добродушно сказал Банщик. – Хочешь взять? На!

Вынул из кармана револьвер, протянул.

– Я оставил в барабане один патрон.

– П-почему? – спросил Романов, делая вид, что совсем одурел от этаких потрясений.

– Почему оставил или почему один? – Хозяин засмеялся. – Оставил, чтоб ты мог пустить себе пулю в лоб. А один – чтоб в меня от злости не пульнул. Перед тем, как все равно застрелиться. Потому что прощения тебе от начальства не будет, хоть ты ему десять мертвых австрийских шпионов притащи. Птичка с донесением тю-тю, улетела. Ваша карта бита. Хочешь – сам стреляйся, не хочешь – начальство тебе поможет. Лично подполковник Козловский

Однако вероятности, что загнанный в угол контрразведчик захочет отыграться, Банщик все-таки не исключал. Правую руку как бы ненароком держал в кармане кителя. Должно быть, тоже умеет палить через сукно...

Подпоручик тупо заглянул в черное дуло «нагана». Содрогнулся.

Снова раздался уютный смешок.

– Неохота? Понимаю. Тогда есть другой вариант. Более оптимистичный. Обсудим?

Обсудить другой вариант можно и даже необхо-

«Погоди, спусковой крючокъ,
Вороненаго дула зрачокъ.
Не зови меня, не мани,
Въ черный омутъ свой не тяни»

димо, подумал Романов. Только сначала необходимо кое-что выяснить.

Он глухо сказал, пряча револьвер в кобуру:

– Мне в уборную надо.

– Это естество голос подает, помирать не хочет, – философским тоном заметил обер-лейтенант. – Ну сходи, облегчи тело. А потом я помогу тебе облегчить душу.

Пошатываясь, Алеша вышел на крыльцо. Прикрыл глаза от солнца. Огляделся из-под руки. Где может прятаться Калинкин? Или прапорщик совсем потерял голову из-за своей «невесты» и снова бросил пост?

– Клозет вон там, – подтолкнул его в спину Банщик. – Иди-иди. Я тут буду. Если тебе интересно, с пятидесяти метров я кладу всю обойму в центр мишени.

– Куда мне теперь бежать? – пробормотал подпоручик.

Медленно-медленно, потирая висок, он пересек двор. Вошел в уборную.

Через минуту в заднюю стенку легонько стукнули.

– Я здесь, – шепнул Вася.

Романов вздохнул с облегчением. Подумал: символично, что в этой неаппетитной истории все ключевые события происходят в нужнике.

– Кто-нибудь приходил? Связной был?

– Никак нет, господин подпоручик, – донесся сухой ответ.

– Значит, блефует. Жалко... Вась, да перестань ты дуться. Ты же ни черта не знаешь.

– Каковы дальнейшие распоряжения?

– Ну и дурак. Не время выяснять отношения. Ой, башка гудит... М-м-м... Будь начеку. Если пойдем куда-нибудь, держи дистанцию. Эх, Сливу бы сюда... Будь предельно осторожен. Банщик опасен, как кобра. Главное еще впереди. Следи за моей левой рукой. Растопырю пальцы – значит, готовься. Я раскрыт, сейчас будем его брать. Понял?

Из-за досок раздалось непреклонное:

– Так точно, господин подпоручик.

Тьфу!

«Облегчение души», обещанное Банщиком, разумеется, свелось к предложению сотрудничества. Тему денежного вознаграждения Петренко поначалу особенно не выпячивал. Очевидно, с его точки зрения, воздействовать на данный «материал» следовало с другой стороны. Он всё больше напирал на позор и бесчестье, которые ждут Романова, если начальство узнает о его провале. Без конца поминал грозного Козловского. Алексей только мычал и раскачивался, обхватив голову.

– А если будешь держаться меня, ничего плохого с тобой не случится, – перешел от кнута к прянику психолог. – Как служил царю-отечеству, так и будешь служить. Твой промах останется нашим маленьким секретом. Насчет послевоенного будущего тревожиться не надо. Россия потерпит поражение, это ясно всем мало-мальски мыслящим людям. Образуется союз трех императоров: нашего, вашего и германского. Все, кто помогал нашей стороне, окажутся наверху. Человек ты совсем молодой, у тебя впереди блестящее будущее. Новой России такие мóлодцы, да с хорошими покровителями, ого-го как понадобятся. Ну и в настоящем тоже ждут тебя кое-какие радости, прямо сейчас. Знаю я, что у подпоручика за жалованье. Слезы Хаси-сиротки. А у нас будешь получать гонорар в кронах, на собственный счет в «Лендербанке».

И так далее, и так далее. Всё согласно австрийской «Инструкции по вербовке агентов», без лишних импровизаций. Зачем метать бисер перед кретином вроде подпоручика Романова?

Алексей понемногу «оживал». Сделал взгляд не таким мертвым, поморгал, чтоб поблескивали искорки заинтересованности. Не переиграть бы только.

– Вот какие перспективы могут тебя ожидать, если... – Банщик наклонился над ним. – Если ты нам поможешь в этом деле.

– Я и так уже помог, – снова повесил голову Алексей.

– Нет, лапа. Это не ты помог, это я тебя разработал. Гонорара за то, что выдал мне операцию прикрытия, ты не получишь. Вот если скажешь, с какого участка фронта намечается прорыв, – тогда да. Проси чего хочешь. Хоть принцессу в жены и полкоролевства в придачу. И не ломайся, золото мое. Не то придавлю каблуком – только хрустнет... Ой, Лешенька, не молчи. Не серди меня!

Голос обер-лейтенанта сделался грозен.

– Не знаю я, – промямлил Романов. – Честное офицерское, не знаю... Налейте похмелиться, а? Изнутри подступает... Ну что вы меня глазами жжете? Место прорыва строго засекречено. Кто бы стал мне о нем сообщать? Главное, ради чего? Сами видите, меня в самую паршивую дивизию откомандировали. И сюда-то не хотели... Я у начальства не шибко в чести. Кадров не хватает, вот и доверили...

– Допустим. – Петренко потер ямочку на подбородке. – А кто осведомлен о месте прорыва?

– У нас в управлении наверняка знает подполковник Козловский. Он всю систему прикрытия разрабатывал.

– Так-так. Подробнее!

– У князя при себе планшет с картой. Я слышал, он главнокомандующему по телефону говорил, что никогда с этим планшетом не расстается. Там нанесены все двадцать пять участков, где ведется подготовка. Правильный – на листе № 8. А что там, на этом листе, я не знаю. Козловский не сказал. Я и так по чистой случайности разговор подслушал...

Момент был скользкий, рискованный. Заглотит Банщик наживку или нет?

– Надо заглянуть в этот планшет, Лешенька. Очень надо! И мне, и тебе...

Заглотил! Вот что значит – оказаться в плену собственной схемы. Записал Петренко подпоручика в жалкие болваны и никаких по сему поводу сомнений уже не испытывает. Вроде опытный разведчик, но, как говорится, на всякого мудреца...

– Шутите? Так он мне и показал... Налейте, а? Умираю.

Плеснул ему Петренко ровно полрюмки, чтоб опять не развезло. Алеша жадно выпил.

– М-да, задачка... – протянул обер-лейтенант. – Трудная, но решить ее придется. Вот что, сокол ясный. Надевай китель, ремень, фуражку. Пойдем-ка в поля-леса, прогуляемся. На природе, да на ходу мозги лучше работают.

## В РОЩЕ

Из Русиновки обер-лейтенант вывел свою добычу закоулками – чтоб никому не попадаться на глаза. Прошли берегом реки, двинулись через поле.

Еще в самом начале Банщик обнял подавленного спутника за плечи:

– Лешко, душа моя, да не журысь ты. – Говорил он легко, весело, форсируя малороссийский выговор. – Война вокруг, что ни день тыщи народу гибнут. Над тобой, надо мной, над каждым смертяшка витает. А поможешь мне – и живи себе, сколько влезет, никто тебя не тронет. Давай, умник ты мой, шевели мозгами. Очень уж мне надо в планшет господина Козловского заглянуть.

– Вам? – переспросил Романов. – То есть, если я загляну, недостаточно?

– Желательно, чтобы я видел карту сам. Не то, чтоб я тебе не доверял, но... Хлопец ты молодой, ветер в голове. Сробеешь в планшет к страшному начальнику залезть, а мне соврешь, что видел заветный лист номер 8. Ляпнешь что в голову придет, на русский авось. Я доложу, поедут эшелоны, запылят по дорогам войсковые колонны – и всё не туда. Нет уж, Лёшик. Я человек серьезный. Должен своими глазами удостовериться. И даже сфотографировать. Есть у меня замечательный аппарат, как раз на такой случай. В общем, думай. Даю тебе час сроку. Дойдем вон до той рощицы, постоим там, покурим. Повернем обратно. Тут ты мне и доложись. Если ничего путного не предложишь, очень я в тебе разочаруюсь.

Какое-то время они шагали молча. Алексей приметил, что Банщик все время держится правее и на шаг сзади. Не теряет бдительности. Помнит, что у подпоручика голова дурная, а в револьвере есть один патрон. Такому идиоту, какого разыгрывал Романов, ничего не стоит пальнуть в неприятного человека, а потом уж начать думать, что это он натворил и как быть дальше.

Поведение Петренки означало, что свою роль контрразведчик исполняет неплохо.

Настороженность спутника была полезна еще в одном смысле. Поскольку внимание фальшивого Афанасия Никитича было сконцентрировано на Алексее, отвлекаться на созерцание окрестного пейзажа шпион себе позволить не мог. А в пейзаже было на что полюбоваться.

Искоса, с опаской поглядывая на шпиона (это выглядело вполне естественно), Романов в то же время боковым зрением проверял, как там Калинкин.

Мальчишка, надо отдать ему должное, вел конвоирование безукоризненно. На курсах по дисциплине «слежка на открытом пространстве» у него наверняка была отличная оценка. Перемещения прапорщика напоминали прыжки дельфина среди волн. Он то приподнимался из высокой травы, то нырял в нее носом. И проделывал эти маневры безо всякого шума. Может, и будет из парня толк – жизнь пообтешет.

Когда вошли в березовую рощу, о которой говорил Банщик, Вася стал очень ловко, зигзагами, передвигаться от дерева к дереву.

На опушке остановились, закурили.

– Благодать какая, – потянулся Петренко, глядя в весеннее небо. – Так и полетел бы, по-журавлиному.

Вдали, с километр отсюда, шли саперные работы. Там, согласно плану, должна была разместиться одна из мортирных батарей.

Шпион посмотрел на часы. Было без одной минуты шесть.

– Приляжем на травку, отдохнем.

Романов насторожился:

– Зачем?

– Да так просто. В ногах правды нет. Ложись, Лёшик, ложись. Вон как тут славно, за пеньком.

Едва легли, несколько секунд прошло – вдруг задрожал, зазвенел воздух. Потом гулко лопнул. На поле, шагах в ста, взметнулись рядом два фугасных разрыва.

– Мать их за ноги! – выругался Банщик, стряхивая с фуражки осыпавшуюся древесную труху. Вынул из кармана блокнот, что-то записал.

Движение на батарейной позиции замерло. Саперы попрятались, ожидая продолжения артиллерийского налета. Но австрийцы больше не стреляли.

А ведь это он неспроста меня сюда привел, догадался Романов. Должно быть, некоторое время назад сообщил координаты, и ему поручили проверить точность пристрелки, чтобы внести коррекцию.

Обер-лейтенант зло пробормотал по-немецки:

– Чуть не угробили, математики. И главное, зря всё... Однако задание есть задание.

Кто кого засек и нанес на карту обстрела, это еще вопрос, усмехнулся про себя Романов. Наши наблюдатели не лыком шиты. И разведчики наши на той стороне тоже имеются. Как ударит отсюда залп тяжелых мортир, останется от австрийской батареи куча земли...

– Эхе-хе, – вздохнул Банщик. – Суетимся, умничаем, а жахнет такая вот дура, из своей же пушки, и пакеда. – Он поднялся, дернул подпоручика за рукав. – Вставай, герой. Второй раз тебе сегодня свезло. Сначала не стал стреляться. Теперь вот фугаска чуть в сторону взяла. Но Бог, он троицу любит. Нука, в третий раз выкрутишься или нет?

С этими словами он вдруг отскочил назад, выхватил из кармана пистолет и направил Алеше в лоб.

– Знаешь, что я решил? Если ты сейчас, сию секунду, мне не скажешь, как к подполковнику в планшет залезть, шлепну я тебя. Мне идиот в помощниках не надобен. Докажи свою полезность – или прощай.

Фортель был неожиданный. Романов вроде не новичок, но все-таки дрогнул. Смотреть в черную дырку «вальтера» было жутко.

Но, с другой стороны, и хорошо, что дрогнул. Так оно вышло естественней.

– Я придумал... Придумал! – быстро сказал он. – Господин подполковник обещался завтра утром с инспекцией заехать. А планшет, я говорил, всегда при нем!

Калинкин тоже нервничал – ему ведь разговора было не слышно. Лежа за деревом, прапорщик приготовился стрелять: локтем уперся в землю, навел ствол, прищурил глаз.

– Другое дело! – радостно воскликнул Банщик и опустил руку. – Вот что значит – заинтересовать клиента. А то молчал, время тянул...

Вася тоже немного расслабился, шпиона с мушки снял, но все-таки был наготове, внимательно наблюдал.

– Я думал, ты дурак. – Обер-лейтенант сделал шаг в сторону и лукаво прищурился. – А ты, Леша, выходит, ловкач. Меня решил в дураках оставить?

– А? – удивился Романов.

– Бэ!

Банщик вдруг развернулся на каблуке, вскинул руку и трижды выстрелил, целя под березу, где залег Калинкин. Прыгнул в сторону, крутанулся еще раз и взял остолбеневшего Алексея на прицел.

– Руки к плечам!

– Вы что это? В кого? – залепетал подпоручик, еще не осознав, что всё пропало.

Вася слишком высунулся – на свою беду. И ответных выстрелов не было. Неужели...

Переход от уверенности в успехе к осознанию полного краха произошел слишком стремительно.

– Ну-ка, пойдем поглядим, что там за зверь. Тихо, плавно, за мной марш! – приказал Петренко.

Он тянул шею в сторону березы – пытался разглядеть, что́ там.

«Пуля просвистѣла,
И душа изъ тѣла
Вырвалась въ полётъ.
Её ангелъ ждетъ»

Не обращая внимания ни на Банщика, ни на его пистолет, позабыв обо всем на свете, Романов бросился к Васе.

В прапорщика попали две пули из трех. Одна прошла косо – выбила правый глаз и вылетела через висок. Вторая разорвала горло.

Единственное оставшееся око с ужасом и непониманием таращилось на Алешу. Руки тщетно зажимали шею. Мальчик пытался и не мог вдохнуть воздух. Свистела и хрипела разодранная трахея. Вася Калинкин доживал последние секунды, это было ясно.

Странный звон раздался у подпоручика в ушах. Словно натянулась до отказа пружина. Вернее, будто сам он вдруг превратился в сжатую до отказа стальную нить.

– Калинкин! – не своим, пронзительным голосом завизжал Романов. – Сволочь!

– Кто? – спросил за спиной Банщик.

– Помощник мой! Шпионил за мной, гад! Скотина!

Судорожным жестом Алексей вырвал из кобуры «наган» и выстрелил умирающему прямо в залитое кровью лицо. Палец снова и снова жал на спусковой крючок, но патронов больше не было, лишь прокручивался пустой барабан.

Обер-лейтенант сзади обхватил контрразведчика за локти.

– Ну всё, всё! Экий ты, Лёша, африканец!

– Я пропал! – кричал Романов, вырываясь. – Он следил за мной! Он меня выдал! Наверняка выдал!

– Не мог он тебя выдать. Не успел бы. Успокойся.

– Всё равно! Как я объясню? Как? Мерзавец! Он мне завидовал! Хотел занять мое место!

Романов еще и пнул ногой неподвижное тело, Васе теперь было все равно. Его потускневший глаз смотрел на убийц спокойно, даже равнодушно.

– Мне конец... Теперь мне точно конец, – трясся подпоручик. Истерика давалась ему безо всякого усилия. Он сейчас и захотел бы остановиться – не смог бы.

Петренко убрал пистолет. С размаху влепил сообщнику две оплеухи.

– Успокойся. Делай, что я говорю, и всё будет хорошо. Бери-ка его...

Они перенесли тело, удивительно легкое, к ближайшей из фугасных воронок.

– Что толку? – всхлипывая, сказал подпоручик. – Дырки-то от пуль. Все равно догадаются.

– Мы, хозяйственники, народ запасливый.

С этими словами Банщик достал из кармана лимонку. Выдернул чеку, сунул гранату под труп.

– Ноги в руки!

Они отбежали, упали в траву.

Из ямы ударил сухой, подавившийся глиной взрыв. Петренко отправился посмотреть на результат. Алексей не стал – это было выше его сил.

– Не повезло прапору, – сказал Банщик, когда вернулся. – Под шальной снаряд угодил. Война. Всякое бывает... Ну, мне надо на службу. Подштанники считать. А то нехорошо, целый день не появлялся. Не иди за мной, поотстань. Я тебя потом разыщу. И гляди, африканец. Без глупостей. Теперь ты у меня и вовсе вот где.

Он потряс перед носом у подпоручика крепко сжатым кулаком.

Выждав минут пять, Романов тоже двинулся назад, в сторону Русиновки. На воронку он не оглядывался. Но ушел недалеко, только до рощи.

Там он встал у березы, под которой умер Вася. Постоял-постоял и стал размеренно, с силой биться лбом о бугристую кору.

Слезы, смешиваясь со струящейся кровью, тоже становились красными.

Начальник управления спросил:

– Что у вас с головой?

Романов тронул свежий бинт.

– Я докладывал по телефону. Мы с прапорщиком Калинкиным вчера попали под артиллерийский обстрел.

– Знаю. Калинкин убит. Но вы не говорили, что тоже ранены.

– Контужен, господин подполковник. Отшвырнуло взрывной волной, ударило об пень. Боли ужасные, головокружение, однако остался в строю. Понимаю, что людей не хватает.

– Жалко мальчишку. А вы, Романов, молодец. Ну, докладывайте, что тут у вас.

Разговор происходил на квартире уполномоченного. Обстановка скромная, ничего лишнего: заваленный бумагами стол, два стула, большой платяной шкаф, металлический сейф, кровать.

«Соратник боевой, послушай:
Тебѣ я вѣрю одному.
Ты этой тайны никому
Не открывай. У стѣнъ есть уши»

Отчитывался подпоручик долго. Что называется, старался показать товар лицом и подробно рассказывал обо всех принятых мерах. Начальник задавал множество вопросов, вникал во всякую мелочь. Кое-что записал в особую тетрадку, вынув ее из планшета, который не снял даже за столом.

Полтора часа продолжалась эта неторопливая беседа. Незадолго до ее окончания дверца шкафа чуть скрипнула, слегка приоткрылась. Подполковник обернулся.

– Стоит криво. Сейчас бумажку подложу, – засуетился младший офицер.

И действительно сунул под ножку свернутый листок бумаги.

Князь наблюдал, позевывая.

– Ох, устал я. Третья дивизия за сегодняшний день.

Дверца шкафа едва заметно качнулась.

– Так остались бы, господин подполковник. Сейчас я вас свожу по всем постам, потом поужинаем и переночуйте. Я вам койку уступлю, а сам где-нибудь в штабе пристроюсь.

– Рад бы, да не могу. Мне к ночи в 26-ую нужно. Эх, кабы в баньке попариться – я б как новенький сделался.

И снова дверца шевельнулась. Романов кивнул ей: понял.

– Это я легко устрою. У нас офицерская баня просто замечательная. Никого не будет, я позабочусь. А планшет ваш сам посторожу. Распорядиться, чтоб истопили к нашему возвращению?

Начальник оживился.

– В самом деле? Тогда вот что. Долго рассусоливать с инспекцией не будем. Что нам друг перед дружкой комедию ломать? Я и так уж понял, что декорации у вас на участке основательные и таинственности вы напустили достаточно. Часик покатаете меня – и назад. Поспеет баня за час?

– Гарантирую!

Начальник управления громко и фальшиво орал боевую песню про вещего Олега, собирающегося отомстить неразумным хазарам. Вопли прерывались кряканьем, когда князь поддавал на раскаленные камни кипяточку.

– Эй, Романов! Вы на месте? Никуда не отлучайтесь!

– Так точно, я здесь, господин подполковник! – И шепотом. – Да быстрее вы, быстрее!

Петренко, не обращая внимания на нервные призывы, спокойно щелкал затвором портативной фотокамеры.

– Господи, восьмой лист вы уже сняли! Зачем вам все остальные? – шипел Романов.

– Для порядка...

– «Из темного леса навстречу ему идет вдохновенный кудесник!» – блаженно орал князь. – Романов, не в службу, а в дружбу. Пройдитесь-ка мне по спине веничком. Только планшет там не оставляйте!

– Ладно, хватит. – Обер-лейтенант уложил карты обратно – точь-в-точь как они лежали. – Ступай, Лёшик. Певец во стане русских воинов зовет. Ты у меня умничка.

Все время одна и та же пошлая комедия, вяло думал Алеша. Один и тот же немудрящий набор приемов: подглядеть, подслушать, прикинуться, залезть в постель, залезть в душу. Пиф-паф, ой-ё-ёй, умирает зайчик мой...

Но когда входил в парилку, покачнулся и был вынужден упереться в стену. Вновь увидел перед собой широко открытый, еще живой глаз Васи Калинкина.

Подполковник лежал на животе, громогласно выводил припев:

> Так громче музыка, играй победу!
> Мы победили, и враг бежит, бежит, бежит!
> Так за царя, за родину, за веру...

Великое и триумфальное наступление, длившееся три месяца, еще продолжалось, но из-за исчерпанности резервов начинало выдыхаться. Однако и те результаты, которых удалось достичь Юго-Западному фронту, превзошли самые оптимистичные ожидания Ставки.

Истинное направление удара открылось за двое суток до начала – когда в расположение «швейцарской» дивизии, на заранее подготовленные позиции, была переброшена тяжелая артиллерия, а траншеи наполнились стрелками. Внезапная концентрация войск застала врасплох австрийское командование – все последние недели оно скрытно стягивало резервы к участку фронта, расположенному в 300 километрах отсюда. На грузовиках, на конной тяге стали перебрасывать к слабо защищенному участку всё, что было поблизости, но за 48 часов кроме пехоты да пулеметов ничем существенным усилиться не смогли.

22 мая, на рассвете, земля затряслась от разрывов крупного калибра. Мощная артподготовка продолжалась два часа. Когда она стихла, австрийские траншеи наполнились живой силой, но русские в атаку не пошли. Вместо этого грянула вторая волна орудийного обстрела. Пехотинцы, неся потери, отхлынули на запасные рубежи. Когда, после затишья, вернулись, пушки открыли огонь в третий раз. Никогда еще у русских не бывало сосредоточено в одном месте такого количества стволов и такого запаса снарядов. Главюгзап решил потратить почти весь боезапас в первый день, чтобы обеспечить максимальную эффективность прорыва. И ему это удалось...

И вот на исходе августа по пыльной Владимиро-Волынской дороге, прижимаясь к обочине, полз открытый штабной «рено». Позади шофера сидели два офицера. Один, в чине подполковника, постарше. Второй, с одним просветом и двумя звездочками, еще

«Громъ побѣды, раздавайся!
Уползай, разбитый врагъ!
Веселье развѣвайся,
Торжествующий нашъ стягъ!»

совсем молодой. Жаться к краю приходилось из-за того, что навстречу сплошным потоком брели пленные. Конца колонне было не видно. Раненых австрийцев везли на телегах.

– Поздравляю, Лёша, – говорил подполковник младшему товарищу. – Первый случай на моей памяти, чтоб в контрразведке «георгия» дали. Я боялся, завернут представление. Но главком настоял. От души поздравляю, честное слово!

Он с завистью поглядел на новенький крестик, что посверкивал белой эмалью на груди подпоручика. Ехали из штаба фронта, с торжественной церемонии награждения. Сам-то начальник получил всего лишь шейного «станислава», но признавал, что подпоручик увенчан по заслугам.

– Спасибо, – безразлично ответил Романов.

Еще недавно он был бы на седьмом небе от такого отличия, но с апреля месяца Алексей не улыбался и плохо спал по ночам. Иной раз даже завидовал кошмарам Козловского – лучше уж видеть во сне веснушчатого мальчишку, чем ужасное лицо, на котором один глаз мертвый, а второй еще живой...

– Надоел ты мне со своей постной рожей, – пожаловался князь. – Слушай, я тебя долго не трогал. Понимаю же: человеку нужно время, чтоб после такого прийти в себя. Но ты, по-моему, решил навечно в чайльд-гарольды записаться.

– При чем тут Чайльд-Гарольд? – Романов пожал плечами. – Я убил раненого товарища. Очень романтично.

– Дурак ты! Не убил, а добил. Он все равно умирал, мучился. Я бы на его месте, может, сам тебя попросил! Это во-первых. А во-вторых, он же не зря погиб. Он своей смертью какое дело спас! Ведь это всё благодаря ему, благодаря тебе...

Подполковник обвел рукой запруженное шоссе.

– Не знаю... – Алексей схватился за виски. Снова вступил металлический звон – тот самый, что первый раз раздался у него в голове тогда, в березовой роще. – Я всё думаю. Нет на свете ничего такого, никаких причин, из-за которых можно взять и выстрелить в лицо товарищу, который ждет от тебя... ну, если не помощи, то хотя бы жалости. Или последнего «прости»...

Наконец он проговорил вслух то, что мучило его все эти месяцы. Князь только крякнул.

– Ты что несешь? Если б ты разнюнился, то Калинкин бы сгинул попусту. А вместе с ним пропали бы и ты, и доверенное тебе дело! Нельзя нам нюниться. Это двадцатый век, Лешенька! Времена плаща и шпаги остались в прошлом! Хотя, уверен, и тогда не шибко миндальничали. Это нам Дюма со Стендалем всяких красивостей напридумывали. Во все эпохи сила на земле ломила силу, а жалость – это для небес. Так было и при мушкетерах, и при Бонапарте. Вся разница в нуликах.

– В каких нуликах?

– Которые сзади приписываются. При мушкетерах на кону были тысячи жизней, при Бонапарте десятки тысяч. А сейчас математика другая. Вот гляди. – Князь сложил ковшиком руку. – Здесь жизнь Васи Калинкина. Много весит?

Подпоручик с вызовом сказал:

– Очень много!

– Согласен. – Лавр так же сложил вторую ладонь. – А теперь кладем сюда, во-первых, мильон убитых и раненых австрийцев. Потом четыреста тысяч пленных. – Он снова кивнул на дорогу. – И, наконец, самое главное. После поражений прошлого года Россию все со счетов списали – и союзники, и враги. А теперь наш флаг снова реет гордо! Мы поднялись, как феникс из пепла! Такой сокрушительной победы на этой войне – величайшей войне в мировой истории – ни у кого еще не было!

После каждого нового аргумента вторая рука опускалась ниже. В конце концов воображаемая чаша совсем перевесила маленькую жизнь девятнадцатилетнего прапорщика.

Смотрел Романов на эту наглядную демонстрацию, и вроде как становилось легче. Он даже позволил себе краешком глаза покоситься на славный орден, который зря никому не дают.

А все же в душе что-то треснуло. Похоже, навсегда. Обратно уже не склеится.

**Конецъ шестой фильмы**

**ПРОДОЛЖЕНІЕ БУДЕТЪ**

# ХРОНИКА

Совещание главкомов

Государь в Ставке...

...И в часы досуга

Главюгзап и Главзап

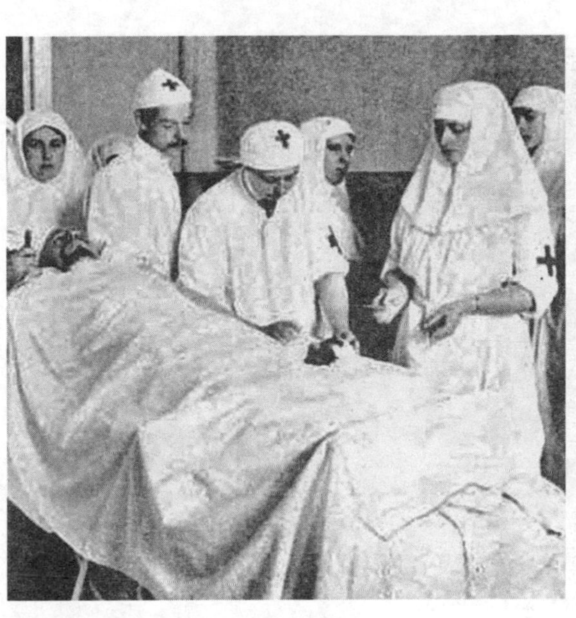

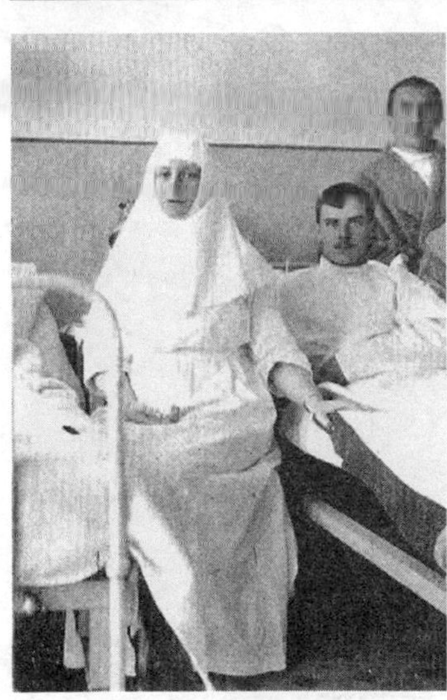

В санитарном поезде ее величества

Наблюдение за противником в бинокли...

**...и в перископы**

**Два года в окопах...**

**Вошебойка**

**Украинки в австро-венгерской армии**

**Русские прапорщики...**

**И австрийские обер-лейтенанты**

И враг бежит, бежит, бежит!

**Так громче музыка, играй победу!**

## СОДЕРЖАНИЕ

Литературно-художественное издание

Акунин Борис
**Смерть на брудершафт**
*роман-кино*

Странный человек
*Фильма пятая*

Гром победы, раздавайся!
*Фильма шестая*

Заведующая редакцией *М.С. Сергеева*
Ответственный за выпуск *М.Г. Мельникова*
Технический редактор *Т.П. Тимошина*
Компьютерная верстка *Е.М. Илюшиной*

ООО «Издательство АСТ»
141100, РФ, Московская обл., г. Щелково, ул. Заречная, д. 96

ООО «Издательство «АСТ МОСКВА»
129085, РФ, г. Москва, Звездный бульвар, д. 21, стр. 1.

Наши электронные адреса:
www.ast.ru
E-mail: astpub@aha.ru

По вопросам оптовой покупки книг
Издательской группы «АСТ»
Обращаться по адресу:
г. Москва, Звездный бульвар, 21 (7 этаж).
Тел.: 615-01-01, 232-17-16

Отпечатано с готовых файлов заказчика в ОАО «ИПК «Ульяновский Дом печати». 432980, г. Ульяновск, ул. Гончарова, 14

## Борис Акунин

## «СМЕРТЬ НА БРУДЕРШАФТ»

### роман-кино

## Борис Акунин

## ПРОЕКТ «ЖАНРЫ»

**Борис Акунин**

## «ПРОВИНЦИАЛЬНЫЙ ДЕТЕКТИВ, ИЛИ ПРИКЛЮЧЕНИЯ СЕСТРЫ ПЕЛАГИИ»

# ЧИТАТЕЛИ – ПИСАТЕЛЯМ

Издательство АСТ и писатели российского ПЕН-центра открывают благотворительную Программу помощи писателям, находящимся в тяжелом, а подчас и бедственном положении.

Среди них авторы известных стихов, пьес, прозы – писатели – участники Великой Отечественной войны, люди, выжившие в лагерях уничтожения, нуждающиеся в лечении.

## ИМ ОЧЕНЬ НУЖНА ВАША ПОМОЩЬ!

**Вы можете помочь нуждающимся писателям, перечислив свой взнос на счет программы:**

Благотворительный фонд «Тепло сердец»
ИНН 7701359136 КПП770101001
Р/с: 40703810000000001562
Банк получателя: ОАО «ТрансКредитБанк»
БИК: 044525562
К/с: 30101810600000000562
Назначение платежа: Целевое пожертвование на благотворительную программу «Помощь писателям»

Более подробную информацию о Программе, а также полную информацию о поступивших и использованных средствах вы можете узнать на сайте http://www.teploserdec.ru

**Члены Исполкома российского ПЕН-центра:**

Аркадий Арканов

Белла Ахмадулина

Андрей Битов

Зоя Богуславская

Андрей Вознесенский

Александр Городницкий

Фазиль Искандер

Игорь Иртеньев

Юнна Мориц

Алексей Симонов

Людмила Улицкая